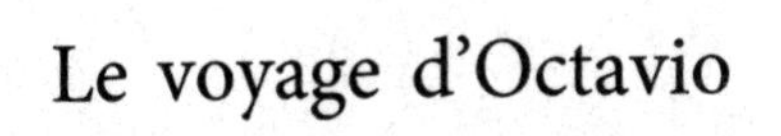

Le voyage d'Octavio

Miguel Bonnefoy

Le voyage d'Octavio

Roman

Rivages

Retrouvez l'ensemble des parutions
des Éditions Payot & Rivages sur

payot-rivages.fr

Collection dirigée par Émilie Colombani

106, boulevard Saint-Germain – 75006 Paris

I

Dans le port de La Guaira, le 20 août 1908, un bateau en provenance de La Trinidad jeta l'ancre sur les côtes vénézuéliennes sans soupçonner qu'il y jetait aussi une peste qui devait mettre un demi-siècle à quitter le pays. Les premiers cas se présentèrent sur le littoral, parmi les vendeurs de pagres et les marchands de cochenille. Puis suivirent les mendiants et les marins qui, aux portes des églises comme aux portes des tavernes, éloignaient à force de prières les misères et les naufrages. Après une semaine, le pavillon de quarantaine fut hissé et on décréta qu'il s'agissait d'une épidémie nationale. La deuxième semaine, les autorités ouvrirent la chasse aux rats et on paya une pièce d'argent pour chaque bête morte. La troisième semaine, on isola les malades pour faire des prélèvements et on extirpa des ganglions aussi gros que des œufs. Il fallut peu de temps pour voir les premiers feux dans les basses-cours et les fumées de soufre sortir des cabanes. Au bout d'un mois, lorsque la maladie approcha les portes de la capitale, on sortit en grande procession le premier saint en bois.

Des fidèles bloquèrent les ruelles d'un village aux alentours de Caracas. Ils portèrent sur des brancards d'argent, accompagnée de psaumes et de chansons, l'effigie du Nazaréen de Saint-Paul vêtu d'un habit mauve brodé d'or, soutenue par des mulâtres en direction des infirmeries. On ne distinguait presque pas le saint tant il était couvert d'orchidées, une couronne d'épines sur la tête, entouré de cloches et de symboles. Passant la tête aux portes, les gens voyaient ce cortège de femmes et d'hommes qui ne cessait de grandir, rue après rue, au rythme des tambours et des trompettes. On le faisait entrer sous le porche des maisons où des dames en chemise sortaient en lui tendant les bras, le front en sueur, en murmurant des paroles qui ressemblaient à des complaintes.

Parmi ces maisons, à la robe d'une montagne, il y avait celle d'un créole qui avait planté contre sa haie un citronnier robuste, aussi vieux que lui, dont les fruits se mêlaient au gui du feuillage. La procession s'était approchée. Le créole était sorti avec un fusil à verrou et une grappe de cartouches sous l'aisselle.

– Je tue le premier qui franchit la haie, avait-il crié depuis la rambarde. Et je commencerai par celui que vous promenez. Nous allons voir si les saints ne meurent pas.

Les porteurs firent demi-tour sans discuter. Mais à l'instant de repartir, la couronne d'épines resta accrochée à l'une des branches de l'arbre. Le créole épaula l'arme et, au milieu d'une injure, tira une seule balle dont l'éclat résonna longtemps dans la montagne. La balle sépara la statue de la branche, secoua le feuillage et fit tomber sur les têtes, comme une pluie de bubons verts, des centaines de citrons qui roulèrent jusqu'aux portails des cabanes.

On crut au miracle. On utilisa la pulpe jaunie pour les infections, on fit sécher les zestes qu'on saupoudra sur les poissons et on purifia l'air avec l'acidité des huiles. On mélangea le citron au gingembre dans des marmites et on les fit passer, porte après porte, à toutes les alcôves, avec un secours que deux mille ans de médecine n'avaient su offrir. En dix mois, on fit reculer dix ans de peste.

Voici l'histoire du citronnier du Seigneur telle qu'on la trouve à peu près sous la plume du poète Andrés Eloy Blanco, dans les livres de mon pays.

C'est ainsi que la maison du vieux créole fut rasée et qu'on éleva une église aux murs de pierres et au parquet sali face au citronnier. On nomma l'église comme le village : Saint-Paul-du-Limon. C'était une humble basilique, sans orgue ni ornements, au plafond lambrissé, qui finissait sur une arrière-cour plantée de grenadiers. Le bénitier ne manquait jamais d'eau. La nef faisait retentir les cantiques jusqu'aux abords du village. Les vitraux racontaient aux illettrés les passions et les supplices du calvaire tandis que, dehors, la chaleur était si lourde que toutes les portes restaient fermées jusqu'à l'heure des vêpres.

Aucun pape ne vint consacrer l'autel et le chevet. Aucune sculpture ne vint habiter le cloître. On posa l'effigie du Nazaréen de Saint-Paul contre un des piliers de la nef et les femmes se levèrent avant l'aube pour mettre des sous dans le tronc. De nombreux pèlerins venaient de loin pour se recueillir devant la statue. La rumeur atteignit les abbayes. On vit apparaître des moines, des chercheurs d'or, et même un curé qui, sentant l'amande et la muscade, ignorant le latin, s'occupa de garder la relique.

Au premier meurtre du village, on construisit avec les mêmes pierres la première prison et le premier cimetière. Dans les ruelles concouraient des voleurs et des vagabonds, puant le bois et l'opprobre, mais aussi des hommes de diligence qui avaient marché depuis la ville pour acheter moins cher. C'étaient des montagnards et des caravaniers, des chrétiens suivant la promesse d'un archevêque, des nomades. Ils s'arrêtaient quelques jours pour manger chaud. Tous ces hommes répétaient qu'ils n'étaient que de passage. Ils visitaient les cantines et les dépendances, souriaient à une douce aubergiste et, finalement, y restaient toute leur vie. À la lisière d'un petit terrain, ils élevaient alors un moulin, labouraient un potager près d'une gorge d'eau et s'abandonnaient sans résistance, sous un ciel dont la rondeur faisait rouler le soleil, à un temps qui ne connaissait pas de saisons.

Les gens prirent l'habitude de mesurer l'importance d'une maison au nombre de ses fenêtres. On écrivait le nom des rues sur des plaques en bois portant les noms de ceux qui les habitaient. La rue de l'Hôpital était celle de l'hôpital, la rue des Sœurs celle du couvent, dans la rue Doctor-Dominguez habitait le vénérable docteur Dominguez, et dans la rue des Cornards, qui ne touchait en rien à l'honnêteté des dames, se trouvait l'abattoir où l'on déchargeait les cornes du bétail.

Tout n'était que musique et vacarme, brume et soleil. Les rigoles d'irrigation devenaient des ruisseaux de fange où les porcs faisaient de longues siestes et que les pluies tropicales, tombant à rompre, ne parvenaient pas à nettoyer. On entendait au loin les mangues s'écraser au sol et les coqs se battre dans les gallodromes. Le vent traînait la rumeur des bœufs, leurs sabots soulevant la poussière, et les places servaient de forum, de foire et de promenade. Sous des tendelets en feuilles de cocotier, des commerçants se réunissaient pour créer les premiers marchés. On écoutait le halètement des bêtes remontant la pente chargées de girofles et de piments verts, d'encres et de perles, l'échine courbée sous des cages de perroquets. Des écrivains publics faisaient payer une fortune les lettres d'amour, les vieux comptaient les mois en grains de maïs et les marchands racontaient aux enfants des légendes pour les éloigner de la nuit. C'était une époque simple et craintive. Le village n'était alors menacé que de superstitions et de croyances populaires, si bien qu'il n'était pas rare de voir, autour de la place, vers la fin du soir, un homme au dos d'une vieille mule faire une dernière ronde avec un fusil pendu à l'épaule.

Avec le temps, touffu et foisonnant, le flanc de la colline se gonfla de baraques et de blocs, la vie ne cessant d'apparaître. Année après année, il se chaussa de pierres et se peupla d'hommes qui fuyaient la misère des grandes villes. Ils montaient jusqu'au sommet de la colline, trouvaient une friche loin des autres et y dressaient une maison de tôle ondulée. Avec l'expansion des quartiers, on dut organiser des élections démocratiques désignant des présidents et un conseil. Le marché noir fit concurrence aux anciens commerces, tandis que l'ombre des platanes abritait des femmes auxquelles, tantôt l'alcool, tantôt les malheurs, avaient volé un époux.

Les vieilles légendes poussèrent les enfants hors des maisons. Beaucoup se retrouvaient aujourd'hui dans la contrebande, souvent par crainte d'être exclus, ou parce qu'il était plus dangereux parfois de ne pas y entrer. Les nuits étaient agitées, révoltées, elles s'encombraient souvent d'un crime, au détour d'une ruelle. Les jeunes filles subissaient des grossesses précoces et avortaient avec des cuillères qu'on faisait bouillir dans des casseroles. C'était une carte de la colère. Hélas, les saints ne passaient pas par les bidonvilles vénézuéliens. Ils ne s'asseyaient pas à cette table. Ils ne participaient pas à la lente et désolante construction du bonheur des pauvres qui, levant la tête vers la lumière, égrenaient leur rosaire en noyaux d'olive et tendaient tous leurs sens pour entendre le ciel répondre à leurs prières.

Un jour, la statue du Nazaréen disparut sans que personne ne paraisse s'en apercevoir. Dès lors, les portes de l'église restèrent souvent fermées. On n'épousseta plus les bancs, on ne lava plus le parquet, on ne fleurit plus les tribunes. C'est sur d'autres chemins à présent que les pèlerins menaient leurs contes et leurs héritages.

Pendant la saison des pluies, on abattit le citronnier dont l'écorce s'était peuplée de vers comme la ville d'hommes. Il fallut plusieurs mulâtres pour porter l'arbre en procession jusqu'à un terrain isolé. Nul ne sortit pour accompagner le cortège, nul ne passa la tête aux portes. Non loin des maisons, on fit un feu qui rappela la peste d'hier. La fumée ferma le ciel pendant trois jours. Pour la dernière fois, les cloches sonnèrent à grandes volées. Et c'est ainsi qu'un demi-siècle après l'arrivée du navire en provenance de La Trinidad, il ne resta qu'une forte odeur de citron et une église dressée au milieu des cyprès, comme un mât solitaire et triste, debout sur une terre sans ancêtres.

II

Don Octavio était poussé de cette terre.

Il habitait une maison revêtue d'ardoise, simple et fragile, sur le flanc de la colline. Il n'en possédait aucun titre de propriété. Elle se composait d'un salon et d'une chambre qui, à l'origine, ne devaient faire qu'une seule pièce. Une armoire se tenait à côté d'une fenêtre sans vitre ni rideau, comme on en trouve sous les tropiques, près d'un lit de camp et d'une chaise de paille. Dans le salon, au fond, un petit autel aux cierges allumés éclairait faiblement les murs. Des figurines d'apôtres étaient taillées sur des manches à balais et des verres remplis de rhum afin d'écarter les malheurs. Tout était parfumé d'herbes cueillies dans la garrigue.

Octavio reçut le docteur Alberto Perezzo dans son salon. C'était un médecin plutôt fort, au teint presque mat, de bon maintien. Il avait des façons rieuses et légères, une gentillesse dans les manières. Il se plaignit toutefois des interminables escaliers qui serpentaient sur la colline, maison après maison, qu'il lui fallait gravir pour arriver chez ses patients. Il essuyait à coups de manche la sueur de son visage. Et pour comble, confessa-t-il avec un sourire gêné, il avait oublié son bloc d'ordonnances pour noter les médicaments. Octavio leva sur lui des yeux inquiets.

– Y'a rien pour écrire ici, Docteur.

Alberto Perezzo répondit que cela n'avait pas d'importance, qu'il noterait la prescription dans la marge d'un journal.

– On a l'habitude au centre médical, ajouta-t-il. Dans ce pays, on écrit encore sur les journaux après les avoir imprimés.

Don Octavio boutonna sa chemise et se leva pour aller vers la cuisine.

– Pardon, Docteur. Mais y'a rien pour écrire ici.

Le médecin regarda autour de lui et ne vit qu'un peu de pain et de tabac posés sur une table, non loin de la fenêtre. À ses pieds, un morceau de charbon traînait au sol.

– Octavio, regarde ce que nous allons faire. Je vais t'écrire le nom des médicaments sur la table. Je reviendrai demain avec mon bloc.

Le médecin se pencha et traça, d'une écriture lente et détachée, le détail de l'ordonnance entre les rainures du bois.

– Si je ne reviens pas demain, débrouille-toi pour la recopier et dis à la pharmacienne que tu viens de ma part.

Il secoua la poudre de charbon qui était restée sur ses doigts. La sueur perlait à son front. Il pesta une nouvelle fois contre les escaliers puis, après avoir demandé un verre d'eau, ferma la porte derrière lui.

Octavio resta un instant seul devant la table. Il ne restait que peu d'espace entre les taches violacées qui, à force de rhum renversé, comme sur les parois d'un tonneau, recouvraient presque tout le bois. Les lettres tracées étaient les signes d'une étrange ivresse. Il sut aussitôt que le médecin ne reviendrait pas le lendemain. Il serait occupé à poser des cataplasmes d'oignon et de sel, à accoucher une adolescente au fond d'une cabane ou, entre des cris rauques, à extraire d'un genou une balle fondue dans une médaille.

Octavio posa le verre vide sur le rebord de la fenêtre. Il prit un couteau de table et, d'un geste habitué qui le rendait depuis longtemps étranger à la douleur, s'entailla la paume de la main. Il observa le sang noircir ses doigts comme des taches d'encre. Ensuite, il se rinça dans une bassine d'eau de pluie et se banda la plaie d'un ruban de charpie. Il chargea la table sur ses épaules, ouvrit la porte et descendit à la pharmacie.

À cette heure déjà, le soleil faiblissait sur Saint-Paul-du-Limon. L'ombre s'épaississait. Des milliers de petites maisons en brique s'étendaient sur la colline, entassées les unes sur les autres, dans un ordre sans discipline. Des cuisines à ciel ouvert, des terrasses vides, des hamacs tirés entre deux palmiers. Le soleil chauffait les murs. Sur les tôles, on distinguait encore les reflets tremblants d'un mirage. Un homme se tenait au loin à sa fenêtre, torse nu. Des femmes finissaient une cigarette, à la hâte, sous un porche. Des enfants lançaient des pierres sur un arbre pour faire tomber une mangue. C'était peut-être là le premier paysage du monde.

Don Octavio descendait les escaliers à la dérive, la table au dos. Il s'arrêtait parfois, attiré par l'ombre d'un panneau publicitaire, et s'accoudait à sa table, ânonnant les mots. Sur le chemin, il rencontra trois hommes qui se retournèrent sur son passage et lui demandèrent, avec une discrète insistance, de leur prêter la table pour une partie de dominos. Il prit place avec eux, emporté par une sourde camaraderie, ensablant l'ivoire des fiches sous la poussière du charbon. À l'entresol d'une maison, il croisa çà et là des porteurs d'eau et des ouvriers. Sa table servit à secourir un enfant qui avait renoncé à récupérer son ballon sur les toitures. Avec les pieds de bois, il se protégea de deux chiens galeux, écumants de colère, et enfin fit un bout de trajet à l'arrière d'un camion de papayes où les chauffeurs parlaient, avec des mots qu'il ignorait, d'un lendemain de révolution.

Devant la pharmacie, une longue file attendait. Lorsque vint son tour, il avait encore l'épaule salie par le crépi des murs. Il mit la table devant la pharmacienne. Mais le frottement de son dos avait effacé le charbon : le nom des médicaments était à présent illisible. Il ne restait qu'une moirure d'un noir poussiéreux.

– Que disait l'ordonnance ? demanda la pharmacienne, distante, habituée à jauger les hommes.

Don Octavio se confondit en excuses. Il dit qu'il ne se souvenait plus, avec des gestes gauches, en cherchant dans le sable noir la trace d'une lettre. Il donna le nom du jeune médecin, elle lui dit sèchement qu'il était absent. Les gens s'impatientèrent derrière lui. La pharmacienne détourna le regard, excédée :

– Revenez avec une vraie ordonnance.

Octavio s'affola.

– Avez-vous d'quoi écrire ? demanda-t-il soudain. Écrivez au docteur pour qu'il r'passe chez moi. J'suis Octavio. Il sait qui j'suis.

Mais la pharmacienne lui tendit un stylo et une feuille de papier.

– Écrivez-le vous-même, *Señor.*

Cette phrase fit revenir en lui, en un instant, des années de chagrin. Octavio sentit une vieille douleur faire nid dans son cœur. Alors, lentement, d'un geste qu'il avait répété toute sa vie, il leva son bandage et dit avec une voix sourde :

– J'suis blessé à la main. J'peux pas écrire. P't-être pourriez-vous m'aider ?

III

Personne n'apprend à dire qu'il ne sait ni lire ni écrire. Cela ne s'apprend pas. Cela se tient dans une profondeur qui n'a pas de structure, pas de jour. C'est une religion qui n'exige pas d'aveu.

Cependant, Don Octavio avait toujours gardé ce secret, creusé dans son poing, feignant une invalidité qui lui épargnait la honte. Il n'échangeait avec les êtres que des mots simples, taillés par l'usage et la nécessité. Il avait traversé l'humanité en comptant sur ses doigts, devinant certains mots par la somme de leurs lettres, lisant ailleurs, les yeux et les mains, la pantomime des autres, étranger à la jalouse relation des sons et des lettres. Il parlait peu, ou presque pas. Par mimétisme, il répétait ce qu'il entendait, parfois sans comprendre, supprimant des syllabes, prononçant à l'ouïe, et souvent les paroles déposées sur ses lèvres étaient comme des aumônes enfermées dans ses mains. De ce monde, il ne prenait que l'oxygène : au monde, il ne donnait que son silence.

À l'âge d'apprendre, l'école lui fut refusée. C'était une époque où l'on trouvait encore, dans les livres de primaire, aux chapitres de l'histoire indigène, le mot

« découverte » pour parler de la conquête de l'Amérique. À dix-huit ans, le jeune Octavio ne votait pas et avait signé toutes les feuilles de sa vie d'une croix tremblante, l'unique lettre de son alphabet. Simple, il vivait cette simplicité comme une identité. Il avait cet air d'oubli, ou peut-être de tendre mégarde, qu'ont souvent les rêveurs. Il ignorait la sensation du grain du papier et le parfum des vieux livres. Il avait appris à deviner les horaires des bus à leurs heures de pointe, les marques aux motifs des emballages, l'argent à la couleur des billets. Il calculait le montant d'un achat en lisant dans les yeux du vendeur la confiance qu'il mettait dans les siens.

Adulte, dans la rue, il ne cherchait qu'à produire l'effet d'un individu quelconque, absolument anonyme, pris entre mille autres, dont la mesure et la sobriété, la pudeur et la convenance, ne seraient prises en défaut nulle part. Il évitait toute dispute, toute violence, puisqu'il ignorait ses droits et ne pouvait les défendre. Il réfléchissait d'une manière télégraphique, en supprimant les prépositions. Devant les autres, il ne se taisait que pour sentir le silence le protéger à la façon d'une carapace, comme d'autres ne parlaient que pour sentir sur leur langue l'impatience de leurs propos. Étranger à la beauté des phrases, la discrétion était sa demeure. Et dans cette torpeur, il ignorait les inconvénients de son silence comme le sage ceux de sa sagesse.

Il fit ici et là des petits métiers obscurs, à la fois coursier et manœuvre de chantier, tantôt serveur dans un antre infréquentable, tantôt tanneur dans des entrepôts puants. Il travaillait quand il pouvait, sans âpreté ni avarice, gérant l'argent comme l'eau qu'on boit, seulement quand on a soif. Il évitait les gagne-pain officiels et fuyait les écoles. Du peuple qui l'avait vu naître, il ne portait dans ses veines que la résistance et la servitude.

Ce n'est pas de vivre dans la misère qui rend misérable, mais de ne pas pouvoir la décrire. Pour Octavio, il s'agissait d'une colère qui naissait au fond de son histoire, un héritage. Comme lui, son père s'entaillait la main. Il ne pouvait concevoir l'idée de l'encre sans le goût métallique du sang. Il tenait de lui ce visage plus marbre, plus bois, plus pierre qu'un masque. Cela ressemblait à une forêt sans clairières. Sa figure n'était pas différente de celle d'un paysan, aux traits rustres et sévères, à la peau tannée, aux sourcils épais comme du lierre. Une argile dure et difforme, scellée sur tous les bords.

Pourtant, malgré l'âge et cette fatigue apparente, il n'avait pas la silhouette décousue. Il était nettement plus grand et plus large que la moyenne. Son corps paraissait taillé à coups de serpe dans un tronc. Son cœur pouvait battre cent ans. Il avait le profil d'un colosse au cou épais, aux cuisses solides, aux épaules puissantes, le torse légèrement renversé en arrière, comme s'il soutenait une charge invisible. Fort, il pouvait mettre un jeune taureau à genoux en le tenant par les cornes. Il n'étouffait pas sous le poids de son ossature. Il semblait plutôt flotter en elle, avec des gestes gracieux et liquides, dans un curieux mélange d'envol et de fermeté. C'était une vitalité arrogante, occupant toute la place, à l'exclusion de tout le reste. À le voir, il représentait un pays entier de mangues et de batailles.

Comme les monstres ou les génies, Octavio devait quitter le monde sans descendance. Sa robustesse, son élan pour la vie, il l'héritait directement de cette masse de liberté qu'il ne pouvait transmettre à personne. Il faisait partie de ces hommes qui, comme les arbres, ne peuvent que mourir debout.

IV

Le jour où le jeune médecin revint chez Don Octavio, un drapeau fut élevé au cœur du bidonville pour dire que l'analphabétisme, comme une maladie, avait été chassé de cette commune. Des centres d'apprentissage pour adultes furent aménagés dans les ailes désertes des écoles. On distribua des tracts aux portes des commerces. On colla des affiches. Un imprimeur prêta des ateliers afin d'apprendre à plier des feuilles et à les coudre, avec un cordonnet de coton et un carton gaufré, pour faire un cahier. Après six mille ans d'existence, dans certaines cuisines, on se servit à nouveau de l'écriture pour les dépenses et les recettes.

– Les illettrés reviennent du silence comme les malades de la peste, dit Alberto Perezzo devant Octavio en regardant le drapeau par la fenêtre. Ils ne cessent de montrer leurs blessures. Hier, un horticulteur se souvenait avoir détruit un parterre de fleurs parce qu'il n'avait pas su lire la différence entre un désherbant et un engrais.

Don Octavio s'était déjà bandé la main. Il observait comment le médecin écrivait l'ordonnance sur son bloc. Il lui raconta les témoignages confiés lors de ses visites, les mots qu'on déposait sur son palier, les lettres de remerciements dont la calligraphie, hésitante et maladroite, montrait l'effort des premières tentatives. Il suspendit dans l'air le geste de sa plume pour ne pas faire un pâté.

– Il y a encore deux jours, à quelques maisons d'ici, une femme m'avoua n'avoir jamais su lire les stations du bus. Elle avait passé trente ans à déplacer des haricots d'une poche à une autre pour les compter. Tu imagines, Octavio, trente ans à compter des haricots !

Il lui tendit l'ordonnance et remarqua sa main bandée, cachée derrière son dos.

– Que t'est-il arrivé ? demanda-t-il.

– C'est qu'une égratignure, répondit Octavio.

– Tu veux que je regarde ?

– C'est pas la peine, Docteur.

Le médecin sourit, au lieu d'insister. Le jour baissait. La pharmacie était encore ouverte. Comme il avait plu, le chemin par les ruelles et les escaliers n'était pas commode, mieux valait contourner le bidonville par les champs. Octavio accompagna le médecin jusqu'à hauteur de l'église. Ensuite, il prit le vieux sentier de terre qui longeait l'arrière des maisons.

La terre était noire, lourde, grasse. Des hectares entiers séchaient au vent, fertiles et épais, que personne ne cultivait. Octavio y lisait là l'oiseau à la trace de ses pattes, la souris à ses débris, la mule à l'empreinte du sabot. Il voyait le sillon d'herbes que laissait le cheval dans sa marche du pré à l'écurie. Plus loin, entre les pins, des fougères étaient couchées par des couples pendant l'amour. Des prénoms gravés sur l'écorce des hêtres et des arbres à pluie, aux coupes vastes et étranges, peignaient leurs ombres sur les pâturages. Effacés par le vent, des dessins sur le sable faisaient comme un retour au premier geste, à l'encoche taillée, à la corde nouée. Un retour à un monde où l'on désignait les choses en les pointant du doigt et où l'on comptait les heures au déplacement de la lumière.

Lorsque Octavio arriva à la pharmacie, il posa l'ordonnance sur le comptoir. La pharmacienne prit le papier, l'examina avec hauteur.

– Je ne comprends pas le dernier mot, dit-elle enfin.

Don Octavio s'excusa de ne pas avoir ses lunettes pour une écriture aussi petite. Elle répondit qu'elle ne pouvait vendre un médicament dont elle ne pouvait lire le nom.

– J'cherche à tromper personne, dit Octavio avec douceur. J'veux seulement acheter c'qu'il y a écrit sur c'papier.

Ils s'observèrent et, dans leurs yeux, ils découvrirent les mêmes couloirs sombres, les mêmes taudis, le même coin avec un fourneau qui ne sert qu'une fois sur deux, des lits crasseux, collés flanc à flanc, des empoignades, des jurements.

– Je ne comprends pas le dernier mot, conclut-elle sèchement, voulant nier une même appartenance.

Don Octavio s'angoissa, il allait répondre lorsqu'une femme se leva près de lui. Elle prit l'ordonnance et lut à voix haute, avec une diction théâtrale, jusqu'à la signature du médecin. La pharmacienne lança un regard mauvais et disparut dans l'arrière-boutique.

La femme était plus âgée que lui, peut-être, mais son élégance et sa distinction la faisaient paraître plus jeune.

– Les gens ne savent plus lire, dit-elle. Quelle époque !

Don Octavio se tut. Là où il vivait, la nature des hommes n'était pas bavarde. Des discours brefs, secs, des discours faits d'absences de discours.

– Vous dormez sur le ventre ? demanda-t-elle brusquement en se tournant vers lui.

Il voulut répondre, mais elle lui coupa la parole.

– Vous avez tort. Dormir sur le ventre compresse inutilement vos organes vitaux, l'estomac, le foie et les intestins. D'ailleurs, comment vous sentez-vous des intestins ?

– Assez bien, j'crois.

– *Señor*, dit-elle avec beaucoup de sérieux, dormir sur le ventre vous approche du diabète.

Aussitôt, sans transition, elle expliqua qu'il fallait boire des bouteilles d'eau pendant la journée pour éviter les crampes aux jambes, mais s'arrêter au soir afin d'éviter les excès. Pour sa part, elle avait des gels anti-douleur, des encens pour améliorer son sommeil et un éventail de masques de nuit. Avant de se coucher, elle évitait les récits d'aventure et les dialogues houleux. Elle choisissait plutôt des descriptions champêtres et cherchait toujours à s'assoupir sur une métaphore.

Octavio observa cette femme qui ouvrait son cœur à la froide clarté du sien. Il contempla son nez fin, sa bouche étroite. Il y avait chez elle autant d'élan que de solitude.

Timidement, il lui demanda son prénom. Elle répondit avec une voix puissante, comme si elle s'adressait à tout un peuple.

– *Yo me llamo Venezuela.*

V

Venezuela souffrait d'une insomnie aiguë qui la condamnait depuis vingt ans à des siestes diurnes plus ou moins imprévisibles. Elle avait pris l'habitude de s'endormir à des heures désordonnées, mangeait parfois au lit, coupait ses nuits de promenades dans son appartement. On lui prescrivit un sevrage d'hypnotiques. Gênée, elle évita aussitôt les pharmacies où les voisins pouvaient la reconnaître et errait plus loin, dans les petites drogueries de banlieue, où elle se procurait ses produits dans l'anonymat de la foule.

Octavio lui proposa d'acheter lui-même les somnifères afin de lui épargner le voyage jusqu'au bidonville. Ils se donnèrent rendez-vous à Bellas Artes, près du théâtre Teresa-Carreño, sur la place des musées, dans un café enfoncé sous une treille. Il l'attendit pendant une demi-heure, le sac de pharmacie à la main, en observant les étudiants s'embrasser entre les bambous du parc Los Caobos. La journée était claire, sans l'encre d'un nuage.

Lorsqu'elle apparut, rouge d'avoir trotté, il en oublia son retard. Tous deux sourirent à l'idée d'un café. Ils prirent une table écartée dans la pénombre. Elle avait un foulard à fleurs pâles et des boucles d'oreilles en graines de cacaotier. Au cou, elle dissimulait des perles d'ambre glissées dans un ruban de soie auxquelles elle prêta des vertus bactéricides. Elle avait une odeur végétale, comme venant d'une terre humide, légère à remuer. Don Octavio sentait le talc et la savonnette. Il portait l'odeur d'un demi-siècle de silence.

Un écriteau avait une inscription à la craie sur une ardoise : « Aujourd'hui, ni café ni limonade. »

Octavio appela le garçon et demanda deux cafés. Le garçon ne répondit pas et pointa l'écriteau avec un geste las.

– Dans c'cas, dit-il, on prendra deux limonades.

Le garçon leva ses yeux sur lui. Octavio reconnut ce regard : dans les yeux des hommes, tous les alphabets se ressemblaient. Venezuela s'interposa.

– La vue se trouble à un certain âge, *hijo*, fit-elle au garçon.

– Elle se tourna vers Octavio.

– Je connais un endroit où les gens n'écrivent pas sur des ardoises.

Et en dévisageant tout le monde, elle se leva en le prenant par le bras :

– On y sert du café à la place.

Ils remontèrent ensemble l'avenue du Mexique et passèrent près du marché de disques, non loin du pont Brion. De l'autre côté de l'avenue Bolívar, on commençait la construction des tours de Parque Central. La poussière du chantier fit éternuer Venezuela. Elle fit un discours sur les maladies pulmonaires liées à l'inhalation du carbone qui se prolongea jusqu'à la place de la Candelaria.

Ils s'assirent contre le mur de la basilique. De l'autre côté de la place, six vieilles dames sur des tabourets en plastique, vêtues de robes à fleurs bleues, les observaient en agitant leurs éventails frangés. Elles étaient coiffées selon la mode d'hier. Vieilles filles, elles conservaient les habitudes d'une autre époque, parlaient en proverbes, chantaient des valses de veuves et avaient cette curieuse manie de se recoiffer avant de décrocher le téléphone. Dans la blancheur du baroque tropical, elles vendaient des figurines de saints, des apôtres et des reliquaires en plastique sur des petits retables.

Venezuela se montra réservée envers la religion. Elle s'emporta sur le commerce de la foi, parla des fonds de l'Église et, bien que les cierges aient été hors de prix, en acheta deux pour la mémoire de ses défunts.

– Sait-on jamais, soupira-t-elle.

À partir de là, elle ne cessa plus de parler.

Elle avait le goût de son métier, l'horreur de la dépense et des petits caprices. C'était une femme aux idées saines, parfois téméraires, qui avait toutefois un avis sur les rencontres fortuites. Souvent, elle s'arrêtait, au milieu de la rue, pour raconter la vie d'un immeuble dont elle connaissait une moitié de l'histoire et inventait le reste.

Elle expliqua que son père lui avait donné le prénom de Venezuela dans un accès de patriotisme. Le paysage de son adolescence n'avait pour horizon qu'un chapelet de champs pétrolifères enfilés comme un collier. En ce temps-là, à Maracaibo, à l'ouest du Venezuela, il faisait si chaud qu'on faisait cuire des œufs sur le capot des voitures. Sur les places, des hommes en cravate s'endormaient sous les mangroves, tandis que des femmes debout, lasses et essoufflées, cherchaient l'ombre des poteaux électriques. À certaines heures, il y avait une telle épaisseur dans l'air que les mouches se laissaient écraser au lieu de s'envoler. Les commerces, les écoles, les bazars, les loteries, tout fermait peu avant midi pour ne rouvrir que vers quatre heures, quand l'ombre s'élargissait.

– Maracaibo fut donc nommée la ville la plus froide du monde, expliqua-t-elle. Car il n'existait pas un endroit sans ventilateurs, sans climatiseurs, sans installations frigorifiques. C'est pourquoi le jour de la chute de la dictature, le 23 janvier 1958, où on libéra le pays avec les armes chauffées de l'après-midi, tout le monde attendit le soir pour faire la révolution.

On lui dit qu'elle avait des dispositions pour devenir actrice et s'installa à Caracas. Elle répéta des farces dans des vaudevilles, joua des tragédies grecques, et gagna les scènes du Teatro Nacional où elle chanta des *zarzuelas.* Pour le prouver, elle demanda à Octavio de choisir une pièce au hasard. Le choix l'embarrassa. Il ne connaissait du théâtre que le mot.

Enfin, elle crut nécessaire de préciser :

– Je ne me suis jamais mariée. D'être tant écoutée, on finit par juger les hommes à leur silence. Et comme aucun homme ne sait longtemps se taire…

Ainsi, elle avait traversé la vie comme on traverse un désert, sans cortège, pleine d'aplomb et de dignité, avec ce sang-froid qu'on distingue chez certaines femmes que trop d'hommes ont regardées.

Octavio écoutait, le regard dans le vague, le cœur livré. Il lui posait parfois une question courte et son visage se refermait aussitôt. Dans la voix de cette femme, tout avait pour lui un écho différent, une résonance qui lui était encore étrangère. Elle répondait avec des airs enjoués, prenant un plaisir à s'offrir cette folie de marcher bras dessus bras dessous, avec un inconnu, illettré, sur les trottoirs du centre-ville. C'était pour elle une façon de défier le monde, sans pour autant le refuser. Et bien que tous deux eussent dépassé l'âge des ardeurs, ils sentaient confusément chez l'autre renaître l'étincelle des premières émotions. Ensemble dans cette ivresse, tous deux s'y noyaient à leur manière. L'un remplissait son imagination, l'autre dépeuplait son vide.

Octavio se laissa conduire jusqu'à la place Bolívar, pleine d'enfants et d'écureuils noirs. Venezuela annonça que son café n'était pas loin, mais lorsqu'ils arrivèrent, le rideau était baissé. Elle précipita les choses et s'exclama tout à coup :

– Et si nous le prenions chez moi ?

Octavio fit un geste indéchiffrable, empreint à la fois de gratitude et de refus. Ne sachant comment répondre, il approuva à grands traits.

L'appartement de Venezuela était une grande salle, haute de plafond, où la lumière passait par une verrière aux carreaux de couleur. Elle avait des fauteuils en acajou et des bergères tapissées. Des paysages pendaient aux murs. Une fenêtre laissait entrer le vent, chargé d'odeurs et de bruits, dont la présence s'invitait comme un personnage.

Elle servit à Octavio un café avec du miel. Vu l'heure, elle se décida pour un thé.

– Le café secoue les nerfs. On parle d'apoplexie lors des sommeils trop agités.

Elle avait collé sur une colonne une feuille où elle notait, nuit après nuit, ses horaires d'assoupissement, la qualité de son réveil, les effets de la caféine.

– Regardez comment je m'améliore. Lorsque je passe une mauvaise nuit, je bois au matin un thé de plantain, en m'assurant que les feuilles ne soient pas brunies. Après déjeuner, je me prépare un sirop d'agave, et s'il fait très chaud, un demi-verre de citronnade. Parfois, avant le soir, je me rince les yeux avec un peu d'eau de rose, ou avec de la sève de dragonnier, et si vraiment les douleurs m'empêchent de me reposer, je frotte mes tempes avec une huile de pépins de raisin.

Octavio ne l'écoutait plus. Son attention avait été attirée par un autre tableau, plutôt une pierre, une longue tablette en pierre où figuraient d'étranges signes qui ressemblaient à des reptiles, des crocodiles ou d'autres animaux, des cercles parfaitement tracés, dont certains étaient isolés et d'autres reliés par une spirale précise.

– Et ça ? demanda-t-il.

– Ce sont des hiéroglyphes indigènes, répondit Venezuela. On en trouve dans les forêts de San Estebán, sur la pierre de Campanero.

Don Octavio observa longtemps ces paysages de craie et de roche, où rien ne ressemblait à l'homme, où tout lui appartenait.

– Certains disent qu'ils ont été découverts par le peintre allemand Antonio Goering, continua Venezuela. D'autres par les soldats de Lope de Aguirre ou par Villegas, avant de fonder Burburata.

– Ils disent quoi ?

– Je ne sais pas. On trouve de magnifiques interprétations dans les livres d'Aristides Rojas. Peut-être des luttes locales entre les communautés du lac de Valencia, entre les Tacariguas et les Araguas. Peut-être simplement une manière d'exprimer la nature.

Du doigt, Octavio suivit les lignes pour les déchiffrer. Il voyait dans ce désordre de pierre le tissu humain de son bidonville, comme un monde qui vient de naître, que le néant précède. La saveur de cette langue commençait là avec la goyave, le maïs, l'araguaney.

Venezuela lui resservit un peu de café et prit la soucoupe de miel.

– L'écriture, dit-elle, n'a besoin que de quelques traits pour désigner les choses. Par exemple…

Elle trempa ses lèvres dans le miel, puis les appliqua sur une feuille de papier vierge. Elles laissèrent l'empreinte de deux arcs ambrés.

– Vous voyez… voilà comment on écrit le mot *baiser.*

Elle pointa un arbre qui était planté à l'entrée de l'immeuble.

– Regarde, dit-elle en le tutoyant.

Au creux d'une branche, où le bois faisait un coude, Octavio distingua deux oiseaux qui chantaient en construisant un nid. Elle murmura :

– Et voilà comment se conjugue le verbe *aimer.*

Sans savoir précisément ce qu'était l'amour, Octavio se tourna vers elle, saisit son visage entre ses mains et l'embrassa. Tous les mots sur ses lèvres se réduisirent soudain à ce baiser, à cette secousse, ils prirent le mutisme de la chair. Octavio laissa longtemps sa bouche collée à la sienne, comme pour y laisser une marque.

Venezuela recula et secoua la tête. Elle prit peur d'aller trop loin. Il y avait toujours eu cet abîme entre elle et les hommes. Il ne s'agissait pas du baiser d'Octavio. C'était une distance que mettait la nature entre les choses. Mais il l'embrassa une nouvelle fois, et son ardeur la surprit. Elle éprouva aussitôt le désir de faire naufrage avec lui. Tout les opposait. Et pourtant, sans le comprendre, elle déchiffrait peut-être à ses côtés un alphabet qu'elle ignorait, une promesse primordiale, comme sur la pierre, là où rien ne précède et où, cependant, tout semble commencer.

VI

Fermée depuis la peste, l'église Saint-Paul-du-Limon avait été laissée à l'abandon. On avait détruit des vitraux à coups de briques et les murs avaient été tagués. Du pavement, il ne restait que des pierrailles envahies par les ronces. Le temps avait cabossé l'ossature et les racines des arbres avaient soulevé les dalles de l'entrée.

Cependant, à l'intérieur, l'espace était clair, propre et meublé avec goût. Sur les bancs de prière, on trouvait des cartouches de cigarettes importées, du savon étranger, des bouteilles d'huile par centaines et du lait en poudre. On avait amoncelé du whisky numéroté de contrebande. Des velours de Gênes et des liasses de feuilles d'or étaient entassés sur des estrades. Aux murs des allées, sur des brocarts bleus, comme sur de vieux gobelins, figuraient des paysages utopiques. Les fauteuils et les armoires étaient revêtus d'étoffes soyeuses, incrustés d'onyx, que l'âge ne semblait pas avoir effleurés. Sur des étagères de camphre, on trouvait des épées d'ambassadeur, des soutanes et de longues casaques à boutons damassés. Des bijoux presque neufs qui avaient appartenu autrefois à une mondaine brillaient en désordre, au fond d'une commode, au côté de rois mages et de colombes en porcelaine. Cela ressemblait à un pays évanoui où, dans la mesure comme dans l'excès, la richesse se parait de simplicité.

La tête de l'église était fermée par un demi-cercle de rideaux pourpres qui laissaient passer des pans de lumière. Là, autour d'une table, un groupe de femmes et d'hommes entourait un tabernacle qui contenait, à la place des hosties, des centaines de clés attachées par une ficelle.

Devant se tenait un homme vêtu d'un élégant liquiliqui couleur ivoire, fermé jusqu'au cou, qui les touchait une à une en les faisant cliquer entre ses doigts. Chaque clé avait une adresse étiquetée et passée dans un anneau. L'homme en liquiliqui était grave.

« La Taupe a dit quelque chose ? demanda-t-il tout à coup.

– Madame s'absente mercredi et jeudi pour aller à Valencia, répondit une femme. Monsieur quitte la ville mardi.

– Il revient quand ?

– On attend encore la confirmation de son amante. Sans doute pour le week-end.

– Et l'architecte ?

– Pas possible cette semaine, dit un homme plus loin. L'architecte n'achète toujours rien depuis un mois.

– Rien de nouveau pour l'hôtel ?

– Le Chinois changerait de chambre tous les deux jours, expliqua une autre femme. Il a si peur qu'il doit même se méfier des miroirs.

– C'est du gros ?

– Il paraît que c'est plus qu'on ne le pense.

– Ne perdons pas le Chinois, s'il vous plaît. Il faut de l'élégance, de la discrétion, sans ça, on serait encore à voler des montres dans des supermarchés et à revendre des pneus. Il faut de la prestance, s'il vous plaît… on n'est pas assez riches pour être mal habillés.

Il sortit une clé en argent doré du lot, ferma le tabernacle et fit face à l'assemblée, très homme du monde.

– Ce soir, l'ébéniste assistera à une soirée importante à Los Teques. C'est assez loin de chez lui pour qu'on prenne le temps. Je le répète : nous travaillons avec des œuvres d'art. Du tact, de la délicatesse. Entre la prison et la morale, il faut choisir… à vous de juger. Moi, j'ai choisi… et me voici. Alors, je vous en prie, un peu de *savoir-faire*.

Rutilio Alberto Guerra, dit Guerra, avait prononcé ce dernier mot dans un français approximatif, emporté soudain par un penchant francophile. Selon ses ordres, on mit deux femmes sur l'affaire du Chinois et la Taupe pour l'appartement de l'architecte.

Il se redressa. À le voir, il avait moins l'allure du bandit que celle de l'artiste. C'était un cambrioleur délicat dont la politesse dans le vol était inimitable, pleine de remords et de drame. Banqueroutier, faussaire, saltimbanque, il avait été droguiste, empailleur, soudeur, marchand de fourrures. Il s'était rendu célèbre dans sa jeunesse en chinant dans les brocantes des tableaux poussiéreux, des livres apocryphes, des horloges sans valeur qu'il habillait d'anecdotes brillantes pour les revendre au prix fort.

– Car enfin, je ne suis qu'un homme du peuple, expliquait-il.

Tout le monde savait qu'il venait de loin et que sa patrie était dans une infinité de villes vite quittées. Parfait orateur, il s'exprimait avec recherche, en tournant des mots choisis pour l'occasion, et n'envisageait le crime autrement qu'avec rhétorique.

Il dormait sur l'autel, la tête posée sur le tabernacle de clés, sous des tapis suspendus. Il aimait se poser sur le visage, à hauteur du nez, une mouche de taffetas selon la mode des marquis français et se promener ainsi, les mains derrière le dos, en observant toutes ses merveilles dérobées. Il était souvent accompagné d'une splendide mulâtresse dont la beauté était connue qui, le porte-plume à la main, parcourait les pièces de l'église en faisant l'inventaire du bric-à-brac. Tout cela était soigneusement rangé, classé en catégories d'objets, et cédé au compte-gouttes pour ne pas attirer l'attention. Parfois, les meubles étaient revendus à ceux chez qui ils avaient été volés.

Quand il marchait, il donnait l'air d'être suivi par un destin immense. Il semblait persuadé que, par sa simple présence dans l'histoire, il offrait à ceux qui l'écrivaient l'inspiration de leurs plus belles pages. C'est pourquoi, après un court séjour dans le désert, il s'était abandonné à l'idée que l'humanité ne pouvait se refaire que dans des espaces fermés, hors d'atteinte, dans des îles ou dans des fourmilières. Ce fut alors au cœur du bidonville de Saint-Paul-du-Limon, et plus précisément dans la vieille église, qu'il s'était installé avec un groupe de femmes et d'hommes pour bâtir une utopie.

Ici, on parlait du banditisme avec respect, comme d'un art, ou bien d'un métier délicat. Guerra était entouré d'une confrérie de vieux cambrioleurs qui ressemblaient à des alchimistes, tous décidés à revenir à une époque où la crasse et la rusticité n'étaient pas encore entrées dans les mœurs. L'argent du butin se rassemblait dans une cagnotte commune et se distribuait à parts égales. La majorité suivait l'Évangile, d'autres priaient confusément la Vierge, les saints et tous les morts du cimetière. Ces hommes n'étaient ni des Lacenaire, ni des Villon, ni des Caravage. C'étaient seulement des êtres de nulle part, exerçant un métier cruel avec rigueur et passion.

Les cambriolages étaient ciblés. Rien n'était laissé au hasard : on savait où entrer, on savait comment sortir. Guerra ne tolérait aucune négligence sur l'entretien des voitures et le respect des horaires. Hier, l'église avait reçu des paroissiens, sonné les cloches pour la messe, achevé les offices. Aujourd'hui, elle était occupée par des êtres qui, seuls au milieu des myrtes, sans messe ni offices, avaient volé la fortune aux hommes et à Dieu Sa maison.

Au sein de la confrérie, Don Octavio faisait le ménage. Il déplaçait les meubles, lavait le parquet, savait repeindre les intérieurs et restaurer les corniches. Il rendait ainsi toutes les faveurs que la richesse retire à la domesticité.

Il ne participait pas aux cambriolages. Il restait dans le bidonville, tandis que les autres partaient dans les maisons bourgeoises qui, bâties pour l'hiver, s'ornaient de cheminées qu'on n'allumait jamais. Il passait ainsi la majorité de son temps seul, dans des salles de livres en rang étendus à perte de vue, volés dans des bibliothèques ou chez des collectionneurs. Il pouvait s'asseoir des heures sur une chaise surmontée de rubis, emballée pour être revendue, à attendre le retour de la voiture, entouré de biographies d'hommes célèbres dont il ignorait les mérites. C'est bien lui qui avait demandé de ne pas participer aux cambriolages. Il préférait cette attente. Il préférait cette prison. Lorsqu'il écoutait le crissement des gravats sur le parvis, il sortait pour déballer le butin, sans questionner. Il gravait en lui le bois de cette mission. Il avait le dos large, les genoux marbrés, l'échine comme un mât. Dans sa trop lourde solitude, il ne se courbait pas sous le poids de son devoir : sans se plaindre, il le portait comme pour en décharger les autres.

Guerra avait préparé le cambriolage de l'ébéniste avec le souci chevaleresque des grands brigands à manchettes. Il souhaita accompagner son discours de notions éthiques.

– Car ce qui m'a jeté dans ce métier romanesque, c'est exactement le goût pour tout ce qui est ponctuel, rigoureux, plié et déplié à la précision. Me voyez-vous armé ? Me voyez-vous porté vers le meurtre ? Laissons cela aux tièdes. Laissons cela aux petits calibres. Je vous parle ici de cambrioler une maison comme on écrit un poème. Cela s'ordonne avec finesse, dans un souffle d'inspiration, à la frontière délicate entre un mal nécessaire et un mot nécessaire.

Afin que toute lumière le fasse briller, il ne quittait jamais le blanc pour habit. Il imposa un silence méditatif puis, absorbé par une pensée profonde, se dirigea vers le centre de l'autel.

– Je prendrai El Negro et Carita Feliz avec moi, annonça-t-il. Octavio nous attendra ici, car nous porterons une lourde charge à notre retour.

– De quoi s'agit-il ? demanda El Negro.

– On cambriole un ébéniste. Chez lui, il y a des meubles en bois.

– Pourquoi voler du bois quand on peut voler des diamants ?

– Quelqu'un dans la salle connaît-il un endroit où l'on puisse voler des diamants ? répéta Guerra sans pointer personne. Je vous rappelle que c'est sur du bois qu'on a taillé la croix du Christ. C'est avec du bois qu'on a construit la bibliothèque d'Alexandrie. C'est sur du bois que votre mère vous a mis au monde. Montrez un peu de respect.

Alors, la voix solitaire d'El Negro s'éleva à nouveau, une petite voix aigre et grêle :

– Autant cambrioler une forêt, dit-il. Moi, je propose un suffrage universel.

– Un suffrage universel pour quoi ?

– Un vote afin que la majorité adopte ou non ton idée.

– Ce n'est pas *mon* idée. C'est *notre* cambriolage.

– Laissons à la démocratie le soin de juger cela.

Guerra représentait mieux que personne la vanité des vieilles républiques. Il venait d'une époque où l'on interdisait au peuple de s'entretenir des affaires d'État, et en avait retenu les principes.

– Les démocraties n'ont pas toujours raison, rappela-t-il.

El Negro ricana.

– De quoi ris-tu ?

– C'est que les interdire, c'est avoir toujours tort.

Guerra se sentit attaqué dans son sens de la politique, dans sa position au sein de la confrérie. Comme la majorité se taisait en le fixant, il déclara qu'on voterait à main levée.

Dans un murmure qui ressemblait à une consultation électorale, El Negro refusa. Il dit qu'il était prévu dans la constitution de réunir le matériel pour procéder au scrutin, et Guerra, bon gré mal gré, en regardant sa montre, demanda à Octavio d'improviser une urne avec un ossuaire.

Autour de l'autel, on prit part au vote dans le silence. Pour la première fois, Don Octavio exerça son droit d'électeur. Il se fit une petite assemblée délibérante après le dépouillement, un vote de deuxième lecture, puis El Negro leva les yeux, absolument impartial.

– Quelqu'un a voté blanc, dit-il.

Tous les yeux se rivèrent sur Octavio qui, les mains dans les poches, cachait la cicatrice de sa paume.

– C’est moi, dit Guerra. Les rois ne votent pas.

Alors, El Negro révéla avec une voix de prédicateur en chaire, bulletins en main, sous les arcs de la nef :

– Le vote est favorable. Nous pouvons à présent voler en toute légitimité.

VII

Chez l'ébéniste, il n'y avait personne, et pourtant chaque pièce était habitée.

Les murs étaient couverts de paravents qui représentaient des lions tirant des chars, des cerfs combattant une horde de loups, des guerriers soufflant dans des trompettes. Il n'y avait rien que des sculptures aux poutres et des masques sur les chevêtres. Des papillons aux ailes pleines de poussière s'agitaient dans des cloches de verre. Un sarcophage en bois se dressait dans le vestibule, gravé d'inscriptions, où des faucheurs caressaient des laitières. Sur des planches, des cartes de savanes, des portraits en médaillons, toute la genèse sur un tapis champêtre. Vide, la maison paraissait peuplée de mille hommes.

Guerra monta jusqu'à la mezzanine par un escalier suspendu. À l'étage, une bibliothèque de livres anciens, des coiffeuses en noyer. Il reconnut dans l'ombre la silhouette d'une élégante armoire à corniche taillée qui occupait presque toute une arcade. Les vantaux étaient fermés par une serrure à crémone. Sur le dormant, un placage représentait un géant traversant une rivière.

On chercha d'abord la clé dans les faux fonds, sous les tapis, derrière les verdures du mur, en vain. On pensa démonter les panneaux, mais les chevilles étaient trop enfoncées. On voulut forcer la serrure, Guerra interdit de la toucher.

– Vous voyez bien qu'elle est d'origine, gronda-t-il.

Il s'assit sur le lit, retira sa cagoule et se prit la tête entre les mains. Impuissant devant le meuble fermé, il décida de passer à des expressions de majeures conséquences. Il décrocha le téléphone de la maison et, dans une soudaine inspiration, composa un numéro.

À cinquante kilomètres de là, dans la commune de Los Teques, à l'intérieur des toilettes du bal mondain, l'ébéniste fut appelé à l'accueil alors qu'il remontait sa braguette. Il vit s'afficher le numéro de son propre domicile et sursauta.

– Bonjour, Monsieur, dit Guerra très professionnel. Je suis chez vous, assis sur votre lit, et j'ai devant moi le meuble en marqueterie qui orne votre chambre. Je suis pour ma part un collectionneur amateur et j'ai reconnu aussitôt votre goût pour le frisage. Permettez-moi de vous féliciter, Monsieur, pour l'œuvre d'art que vous possédez. Je connais bien votre travail. J'ai lu la plupart de vos articles. Vous ne mesurez pas à quel point je respecte l'effort que vous consacrez à la conservation d'un métier trop souvent oublié. J'ai passé mon enfance à me caller les mains pour des marqueteries en papier peint, à ôter la colle, à faire le sciage. Bien entendu, ce n'était que de l'ameublement à bon marché... ce n'était pas de votre niveau. Mais j'ai toutefois pris le goût des ornements. Et j'ai toujours su qu'il y avait des hommes comme vous qui, avec une discrète discipline, défendaient la mémoire d'un art qu'on juge hélas démodé. C'est un honneur pour moi d'être chez vous, Monsieur. Permettez-moi de vous dire ceci : vous êtes un poète.

L'ébéniste, confondu, nerveux, menaça d'abord d'appeler la police. Mais il fut si profondément ému par les paroles de Guerra qu'il voulut raccrocher. Avec des mots sincères, comme si longtemps son travail avait été dissimulé, comme si on dévoilait enfin, devant lui et devant les autres, l'œuvre qu'il avait secrètement taillé, année après année, dans une intensité désolée, l'ébéniste s'entendit murmurer : « Merci beaucoup, Monsieur. »

Guerra reprit aussitôt.

– Je vous vole encore quelques minutes. Pouvez-vous m'éclairer sur l'origine de la grume. C'est de l'amarante ou du bois de rose ?

– De l'amarante.

– Je crois reconnaître des écailles de tortue du style Boulle. Sortez-moi d'un doute, elles sont incrustées dans les placages ?

– Non. Elles sont appliquées à la colle d'os.

– Vous n'imaginez pas à quel point nos métiers se ressemblent. J'ai moi-même horreur de m'incruster.

L'ébéniste se tut. Il sortit de la cabine et se retrouva face à un grand miroir. Il était pâle. Guerra continua.

– Je vous appelle afin que vous m'indiquiez l'emplacement de la clé, je vous prie.

– Le meuble est à moi, répondit l'ébéniste en s'étranglant.

– Mais la situation est dans mes mains.

– Avez-vous forcé la serrure ?

– Pas encore. J'ai seulement pris une hache avec moi. Pensez-vous que l'amarante puisse tenir longtemps ?

L'ébéniste s'inquiéta.

– C'est ce que je pensais, reprit Guerra. L'affaire est close alors. Vous me cachez la clé, je vous cache ma délicatesse.

– Prenez donc ma bibliothèque, tenta-t-il, voulant marchander.

– Je pensais que vous étiez un homme intelligent.

– Prenez mes amphores. Elles valent une fortune.

– Vos amphores sont si vieilles que j'y volerais plutôt la poussière autour.

Guerra eut tout à coup la sensation que le pays entier l'écoutait et ajouta :

– Monsieur, les peuples reprennent leur dignité à la hache, car c'est à la hache qu'elle leur a été amputée.

– Je vais appeler la police.

– Restez poli.

– La vérité… avoua l'ébéniste. La vérité est que la clé se trouve sur moi.

Cette confession permit à Guerra d'immortaliser un des plus beaux moments de sa carrière. Il ne s'agissait plus de l'entêtement d'un seul homme, mais bien de celui d'une race entière de cambrioleurs qui ne voulait pas céder aux mensonges des oligarques. Il prit le ton choisi des procès et, calmement, avec cette douce démesure qui ferait à la fois sa perte et sa grandeur, expliqua :

– Monsieur l'ébéniste, le cambrioleur amateur vous croirait. Le cambrioleur avisé ne vous croirait pas. Le cambrioleur que je suis vous emmerde. Devant l'interminable générosité qui m'a poussé à vous appeler et vous tenir informé du déroulement de votre cambriolage, vous avez choisi la grossièreté.

– Je ne voulais pas vous vexer.

– Vous en êtes loin.

– J'insiste, Monsieur.

– C'est moi qui insiste. Cela a trop duré.

– Je vous en prie.

– La hache est déterrée.

Confus, l'ébéniste finit par indiquer où se cachait la clé de l'armoire, sous la condition d'en avoir grand soin. Guerra eut l'élégance de ne pas remercier. Après des politesses, tous deux raccrochèrent sur des formules protocolaires, en paroles tout à fait respectables.

– Vous voyez, dit Guerra aux autres avec une fierté qu'il ne sut dissimuler. Il ne suffit pas de voler. Il faut encore en avoir le talent.

Lorsqu'on ouvrit le meuble, on trouva à l'intérieur une guitare à cinq cordes, deux sabliers et un grand objet qu'une étoffe blanche dérobait au regard. La main de Guerra trembla pour ôter le drap.

Il tira avec délicatesse et vit apparaître sous ses yeux, brillante et immortelle, pleine d'histoire, la statue du Nazaréen de Saint-Paul vêtu de son habit mauve brodé d'or, avec sa couronne d'épines, son parfum d'anciennes processions, le visage déchiré par la balle que le vieux créole lui avait tirée cinquante ans auparavant.

IX

« Tu prends les chemins verts en remontant la côte, tu serres à droite au niveau de la pompe à essence, puis à gauche aussitôt après le feu rouge cassé. Tu dois dépasser le terrain de baseball et la petite forêt de manguiers que tu auras sur ta droite. Tu prends immédiatement la première rue en biais qui ne porte aucun nom. L'immeuble n'est ni le premier ni le deuxième. C'est celui du fond, celui qui est caché derrière les quatre palmiers les plus hauts de la rue. »

Don Octavio suivit ces indications avec une précision mathématique. Venezuela le reçut au seuil, avec un sourire au coin des lèvres et, en le voyant, elle porta sa main à sa poitrine en faisant ce geste délicat de celles qui se dérobent, avec une désinvolte coquetterie.

Chez elle, son écriture s'améliora. D'hésitante, elle devint déliée, régulière. Il ne refusait jamais de reprendre un passage où il bloquait. Ses doigts trop lourds parfois cassaient la mine. Venezuela s'amusait de ces gaucheries. Avec un canif de table, il taillait alors le crayon brusquement, courbé en avant, comme s'il aiguisait une lance sur une meule. Elle ne l'interrompait jamais. Elle soignait les excès comme une bête qu'on nourrit.

Octavio fut perturbé quelques jours par le *u* contenu dans *gu* et s'interrogea sur le *tilde* du *ñ* dont il n'avait jamais observé l'accent. Elle le fit siffler pour le *s* et se pincer le nez pour le *n*. Elle lui apprit à associer des idées, à faire des greffes de mots, des croisements. Il décortiquait la phrase, pesait les syllabes. Il confondit les articles définis et indéfinis, ne comprit pas la différence entre les synonymes, ne parvint jamais à accorder le verbe au sujet.

Un matin, il se surprit de voir que *mujer* s'écrivait aussi simplement.

– J'aurais pensé que pour un personnage aussi considérable, y'avait un mot plus difficile, s'était-il exclamé.

Et longtemps après, il roulait encore dans sa mémoire les syllabes de ce mot, *mujer*, liant et déliant son corps au sien, la tête lourde tout à la fois de manque et de plénitude.

Quand il parvint à lire une phrase entière sans hésiter, et qu'il ressentit l'émotion brutale de la comprendre, il fut envahi par le désir violent de renommer le monde depuis ses débuts. Il éprouvait ce lien étrange avec une terre nouvelle, fondu dans un même combat, dans un même âge. Le bonheur tournait et il tournait avec lui. Chaque lettre dans sa bouche prenait la résonance d'une promesse.

Ses préférences allaient plutôt aux adjectifs sans lourdeur. Il y retrouvait la simplicité pleine de tragédie de sa propre nature. Il comprit que la grammaire avait une tradition, au-delà des règles. Et s'il ne confia pas tous ses doutes à Venezuela, ce fut dans la peur de compliquer les choses, et nullement par hésitation.

Il cessa de s'entailler la paume. Il ne remplit plus la bassine avant de sortir, ne prépara plus les linges pour l'emmaillotage. Ce vide était à présent occupé par cet orchestre qu'il entendait tous les soirs, dans une ivresse de musique, et qu'il recomposait chez lui, plus tard, avec la sobriété d'un unique instrument. Car, comme des femmes, Octavio n'avait jamais connu des mots autre chose que leur onde effacée, l'habitude qu'ils disparaissent aussitôt, sortis de sa bouche, comme des coups d'épée dans l'eau. Mais il découvrait à présent qu'il pouvait en conserver la trace, mélangeant le nom des choses et les choses de l'amour. Il gravait, d'un seul trait, à la fois le désir et son empreinte. Assoiffé d'apprendre comme on a soif d'aimer, il ne se lassait pas de confondre les deux alphabets. Le temps qu'ils passaient ensemble avait quelque chose d'illisible.

Pendant quelques mois, le travail au sein de la confrérie et les après-midi chez Venezuela emplirent Octavio d'une plénitude qu'il n'avait guère connue auparavant.

Les affaires avançaient si bien dans l'église qu'on ne trouvait parfois plus de place pour entasser les nouvelles arrivées. Si l'on recevait une armure médiévale, Don Octavio devait la faire briller pour la revendre aussitôt, frottant comme un fou la cuirasse et les brigandines, le haubert et les rondelles, tout le corps du casque aux jambières. C'est ce même frottement qu'il retrouvait plus tard chez Venezuela, quand il se méprenait sur une syllabe, sous son regard sévère, et qu'il devait effacer avec le dos du crayon la rature qu'il avait faite sur un mot. Si l'on recevait une table montée sur des créatures oniriques, il lui fallait nettoyer le verre avec du vinaigre et du citron, ôter les taches calcaires avec du gros sel, et ces créatures réapparaissaient plus tard, entourées d'une tout autre beauté, dans les enluminures des vieilles cartes maritimes que Venezuela lui montrait avec de grandes explications. Tandis que dans l'enceinte de l'église il nettoyait, polissait, ôtait la poussière, c'est véritablement chez elle que, sans chiffon ni plumeau, par le biais des mots, il redonnait de la clarté à ce qui était obscur et de l'attrait à ce qui en était dépourvu. Il goûtait ainsi la simplicité d'un abandon où les durs travaux de son métier semblaient trouver chez elle leur douceur et leur élévation.

Un soir, dans l'église, alors qu'il rangeait des livres sur une étagère, il s'assit sur un fauteuil en moleskine, tourné vers le mur, et prit un livre sur ses genoux. Il tomba par hasard sur une allégorie de la littérature et découvrit qu'on la représentait comme une grande dame drapée de soieries, muette et blanche, une lyre à la main devant une assemblée de marbre.

Il pensa à Venezuela. Il pensa que la littérature ne pouvait pas ressembler à cette image éloignée des femmes. La littérature devait tenir la plume comme une épée, mêlée à l'immense et tumultueuse communauté des hommes, dans une lutte obstinée pour défendre le droit de nommer, pétrie dans la même glaise, dans la même fange, dans la même absurdité que ceux qui la servent. Elle devait avoir les cheveux détachés, de l'héroïsme et des déchirures, une machette à la ceinture ou une escopette à l'épaule. La littérature devait aussi bien représenter ceux qui ne la lisent pas, pour exister comme l'air et comme l'eau, et toujours autrement. Mais dans ces rêveries confuses, le sommeil le gagna, et il s'endormit dans la fraîcheur de la pierre, seul et oublié, entre des agneaux empaillés qui l'entouraient comme un ange.

– L'âne, Messieurs ! cria Guerra. Oui, la sauvegarde de l'art, rendons-la à l'âne !

Octavio se réveilla en sursaut. Il s'approcha de la petite assemblée autour de l'autel, le dos courbé.

– À l'âne qui a tiré la charrette des grands hommes et de leurs petites obsessions, qui les siècles passant a été coursier, artisan, messager, confident et conseiller, qui a déplacé des bibliothèques entières, qui a montré que le serviteur muet est toujours celui qui en sait le plus. J'ai connu un homme qui avait caché trois cents pièces d'or dans le ventre d'un âne. Oui, sans doute, la sauvegarde de notre art, rendons-la à l'âne.

Guerra jugea que l'introduction était faite et ouvrit le tabernacle. Il sortit une clé et la fit passer dans l'assemblée.

– Cette clé ouvre la serrure d'un appartement dont les propriétaires vont recevoir dans quelques jours une invitation pour le *Requiem* de Berlioz, joué au théâtre Teresa-Carreño. Le *Requiem* dure trois heures. Je ne veux prendre aucun risque. Nous resterons une heure dans l'appartement. Nous cherchons une pierre.

– Une pierre ? objecta El Negro.

Guerra se tourna lentement.

– Ce n'est pas n'importe quelle pierre, répondit-il. C'est de la politique.

– D'une pierre, on ne tire pas d'argent.

– Tu veux refaire un vote ?

– On ne vote pas pour une folie. J'ai mieux à faire.

Guerra fixa longtemps El Negro, monta sur l'autel et, devant tous, prononça cette phrase qui devait faire vibrer toutes les cordes de l'assemblée :

– Si tu as mieux à faire… alors, Octavio prendra ta place.

Octavio leva sur Guerra des yeux affolés. Un frisson lui parcourut l'échine et son cœur se serra comme un poing. Il protesta sans convaincre, se confondit en balbutiements, mais une bousculade se leva sous la nef, une révolte qu'il fut difficile de contenir. Guerra affronta l'émeute debout sur l'autel, en agitant les bras avec des gestes alarmés, tandis que l'assemblée des cambrioleurs montait comme une houle devant lui, et vu de loin, ce tableau préfigurait étrangement le spectacle qui se déroulerait dans quelques jours, sous le chapiteau du Teresa-Carreño, lorsque le chef d'orchestre donnerait la pulsation du requiem à son ensemble de musiciens, tous deux ivres de gestes accordés.

Guerra leva la séance dans le plus grand tumulte. El Negro quitta l'église en accusant la tyrannie.

– Ceci n'est pas une utopie, cria-t-il avant de sortir. Ceci est un poulailler !

Calmement, Guerra remit la clé dans le tabernacle. Il fixa Octavio.

– Tu conduiras, lui dit-il.

Octavio demanda l'adresse.

– Ce n'est pas loin, répondit Guerra en descendant de l'autel. Tu prends les chemins verts en remontant la côte, tu serres à droite au niveau de la pompe à essence, puis à gauche aussitôt après le feu rouge cassé. Tu dois dépasser le terrain de baseball et la petite forêt de manguiers que tu auras sur ta droite. Tu prends immédiatement la première rue en biais qui ne porte aucun nom. L'immeuble n'est ni le premier ni le deuxième. C'est celui du fond, celui qui est caché derrière les quatre palmiers les plus hauts de la rue.

X

Venezuela reçut effectivement quelques jours plus tard deux invitations pour le *Requiem* de Berlioz. Elle proposa aussitôt à Don Octavio de l'accompagner. Il refusa sans donner d'explications.

Le théâtre Teresa-Carreño avait monté une scène monumentale : trente-huit cuivres et des centaines de cordes, quatre orchestres spatialisés avec près de trois cents chanteurs, et un ténor solo russe qui, quelques jours avant son départ, donna un concert de bayan pour les écoles de San Agustín. On occupa les deux mille trois cents fauteuils du théâtre en une semaine. La fosse à l'orchestre, en contrebas de la scène, était couverte de partitions et de pupitres. Tout était noir de musique.

À l'entrée du théâtre, on offrait le programme. Au même instant, sur le parvis de l'église, Guerra distribuait des cagoules en toile noire qui ne laissaient apparaître que les yeux. Il monta dans la voiture en chantant le *Dies Irae* et, voyant la place vide d'El Negro, se rappela de la brouille.

– Mieux vaut une douleur de bras qu'une douleur de cœur, soupira-t-il. Le cas contraire, on serait livrés au banditisme, à la récidive, pire, à la révolution.

Il jeta un dernier regard à l'église.

– Et quand on pense qu'à l'origine tout cela n'est qu'une histoire de pomme volée.

Lorsqu'ils arrivèrent chez Venezuela, l'air était rouge. Octavio ouvrit lui-même la porte. Il reconnut les gonds qui, à chaque fois, crissaient sur un dénivelé de tomettes. La verrière aux carreaux de couleur, les tapisseries, les meubles en acajou : tout était à la même place. Il se rappela l'odeur de miel et de cire, la table où il avait penché son écriture, l'arbre sur le balcon.

Il précéda, sans tâtonner contre les murs, ce qui surprit Guerra. Sans hésitation, il traversa la pièce à larges enjambées jusqu'à la colonne où se tenait le pétroglyphe. Mais à l'instant où il allait le toucher, il entendit du bois craquer dans la chambre voisine. Puis, plus rien. Juste l'instinct d'une présence, figée dans l'ombre, comme captive. Il souleva la pierre et se dirigea vers la porte pour sortir. Il marchait sur la pointe des pieds, discret et léger, quand il entendit un craquement à nouveau et soudain une voix derrière lui :

– Posez ça ou je tire.

Guerra eut juste le temps de se réfugier derrière la porte. Don Octavio virevolta sur ses talons. Venezuela se tenait debout, derrière lui, à quelques mètres, une pétoire à la main, vêtue d'une robe gorge-de-pigeon, maquillée et parfumée, comme prête à sortir. Son sommeil capricieux l'avait fait s'étendre quelques minutes sur son lit avant son départ pour le concert. Elle s'était endormie pendant une heure.

Don Octavio posa la pierre. La cagoule dissimulait son visage. Il se redressa et son immense taille fit trembler Venezuela. Elle corrigea l'angle du canon.

– D'une pierre, on ne tire pas d'argent. Que voulez-vous, Monsieur ?

Don Octavio se taisait. Il n'avait connu d'elle jusqu'alors que des paroles affectueuses, sensibles, murmurées. À présent, ses yeux étaient inquiétants. Elle avait peur.

– Ce que vous faites, Monsieur, c'est saper les fondations d'un pays, dit-elle, la gorge serrée tant de crainte que d'irritation. En volant cette pierre, vous les volez toutes. Comment voulez-vous alors qu'on construise un chemin ?

Il observa un long silence et eut la sensation d'être reconnu. Il savait que son retour chez Venezuela serait impossible. Mais savait aussi qu'il ne pourrait plus revenir à l'église. Guerra avait déjà quitté l'immeuble. Et là, dérobé de toute identité, doublement abandonné, Octavio comprit qu'il signait, à cet instant, un pacte avec l'exil. Lentement, d'un geste qu'il avait répété toute sa vie, il leva sa main et murmura :

– Voilà comment se conjugue le verbe *voler*.

L'effroi se dessina sur le visage de Venezuela aussi brutalement que la honte sur celui d'Octavio. Elle manqua s'effondrer. Elle baissa doucement la pétoire, sans le quitter des yeux.

– Octavio ? demanda-t-elle d'une voix étouffée.

L'air, autour d'eux, les enfermait comme les pages d'un livre. Octavio n'ôta pas sa cagoule. Une cécité dictait les regards. Il fit un lent demi-tour, sans hâte ni violence, laissant Venezuela dans son dos, comme s'il la quittait pour toujours. Un vide s'était ouvert comme un paysage, devant eux, entre eux, une ouverture qui se fermait déjà.

De l'autre côté de la ville, un requiem venait de s'achever.

XI

Don Octavio quitta le bidonville au milieu de la nuit. Il s'engagea sur la route de l'ouest, vers le ponant, dans un camion où des rosaires pendaient au rétroviseur, et s'arrêta sur un chantier autour de Maracay.

Pour quelques *bolivares*, il porta des sacs de sable, blanchit les murs à la chaux, pila le ciment, gâcha le plâtre, refit la colle dans des mortiers. Il connut les refuges où l'on dormait mal, la faim et la folie. La poussière fatigua ses yeux. Comme il était discret et laborieux, il obtint rapidement des travaux de peinture pour refaire les façades des maisons. Avec une échelle, il peignait les grilles de volières qui protégeaient les fenêtres et les poutres extérieures où des touffes d'herbe naissaient aux brèches. Il ne recevait pour nourriture qu'une *arepa* froide qu'il beurrait avec le doigt.

Il prit le chemin qui sépare le parc Henri-Pittier et le lac de Valencia. Sa haute taille fit parler. On voulut l'attirer dans des affaires. Il refusa toujours, évitant la compagnie des petits délinquants et des contrebandiers, errant et solitaire.

Il traversa les villages d'Aragua nés des missions et des premières plantations de tabac. On y semait l'indigo, la canne à sucre, le coton. Dans l'épaisseur des bois, il buvait à plat ventre l'eau des ruisseaux. Dans les clairières, il volait du malanga et de l'igname. Il vit au loin un fil de fumée qui laissait deviner une hutte de cantonniers, ou une ancienne trapiche, d'où montaient des chants de *joropo*. Là, des hommes labouraient la terre, pressaient l'olive, tiraient le suc de la canne dans de vieilles cuves en bois.

Pendant des mois, dans cet atelier, Octavio travailla sans repos pour deux frères colombiens, huilant les engrenages, poussant parfois lui-même le levier. À la fin de la journée, les frères comptaient les tas de cannes broyées et le payaient sur le montant de la recette. Ils le laissaient dormir derrière un enclos, dans une réserve de céréales, et Octavio ne dormait pas.

Il prit les chemins vers Valencia et, faute de travail, dut tendre la main quelquefois. Les rues flambaient de couleurs et de voix pour la procession de la Vierge autour des vieilles fermes caféières. Les confréries étaient autorisées à demander l'aumône. Elles passaient par les maisons avec un crucifix et une écuelle, et troquaient une pièce contre une neuvaine. Octavio mit deux jours à ramasser l'argent qui tombait des soutanes, les chaînes et les breloques qui restaient sur le sentier. Il mendiait aux marchands les fruits abandonnés sur les retables, la cassave et le manioc. Il attendait la fermeture des cuisines, et une fois, dans une arrière-cour où une jeune fille tordait son linge dans une bassine, dîna d'un peu de yucca que des clients avaient refusé.

Sa peau prit une couleur de sable, comme si on l'avait taillée dans un bloc de quartz. Aux hommes, il ne racontait jamais son histoire. Il évitait la compagnie des bavards, préférant celle des perdrix et des ramiers, dans l'ombre vaste des samanes. À l'aube, il marchait dans les rues en quête d'un bonheur. Au crépuscule, il se traînait jusqu'à un abri que la charité lui avait offert. Il avait cette attitude recueillie, désœuvrée. La nuit, il ne rêvait pas.

Un matin, il montra à un enfant comment s'écrivait son prénom avec un clou sur le sable. Le jardin était sauvage, tout bruissant de pétales dans l'air, aussi fins que des embruns, plein de broussailles en fleurs et de terre retournée. L'enfant avait été élevé au lait de vache et montra à Octavio comment il tétait directement à la mamelle, en se traînant dans les pâtures, sans affoler la bête.

Pendant un temps, ils firent équipe. À l'ombre des maisons peintes, sur le rebord des fenêtres, ils volaient les céréales qu'on laissait dans des soucoupes pour les perroquets sauvages. L'enfant était rapide, rusé. Il avait le nez droit, les yeux jaunes, quelque chose d'indompté. Il escaladait les poteaux électriques, coupait les câbles et les morceaux de cuivre, récupérait le métal. Il écrasait d'un coup de talon les canettes de bière et les revendait à un fondeur. Dans les pâtisseries, tandis qu'Octavio faisait une diversion, l'enfant plongeait son doigt dans les cuves de mélasse et dérobait du massepain déguisé en fruit. Ses poches avaient toujours la tache noire des baies écrasées.

La faim les traîna jusqu'aux cimetières. Ils fourragèrent au fond des tombes, pillant dans l'obscurité des caveaux, trouvant de petites croix de bronze épinglées à des haillons, des rosaires en nacre, des ceintures brodées en perles de verre. Ils découvrirent une fois une petite statue yanomami transformée en lutrin où les pages d'une bible avaient été dévorées par la vermine. Ils devinrent si miséreux que, du côté du péché, la morale penchait pour eux.

Comme deux insectes ivres, ils vécurent durant des mois au fond des bois de Tacarigua. Pendant qu'Octavio utilisait les graines d'oreille cafre pour laver son linge, l'enfant se perdait parmi les bambous, construisait une bauge où l'herbe était boueuse et dévorait des bananes vertes jusqu'à vomir. Il s'intéressait plus aux fleurs qu'aux hommes, faisait des bouquets et des tresses, coupait des badines. Il disparaissait parfois pendant quatre jours. Il s'enfonça un soir dans la forêt pour ne plus revenir à la ville. Il effaça ses marques derrière lui.

Don Octavio ne garda de cette séparation d'autre saveur que celle de la sève et du songe. Il se demanda si l'enfant avait été une apparition et, au fond de lui, il perçut l'amère beauté d'un monde qu'il ne devait jamais parvenir à comprendre.

Solitaire à nouveau, il traversa le pays de Carabobo à l'arrière des pick-up. Il se servit dans les cartons. Il ouvrait les pastèques avec les dents et volait des maracujas pourpres dans des toiles de chanvre. L'herbe se faisait plus haute sur le chemin vers l'ouest. Il vit défiler la montagne qui allait de Cabo Codera jusqu'à Puerto

Cabello, comme un immense muscle d'un vert grisâtre, qui séparait la terre de la mer sans anses ni vallées.

Il atteignit les forêts de San Estebán où, après un marécage, des îlots de mangroves divisaient la mer en petites lagunes. Là, des grues bleues se rassemblaient pour aller migrer vers d'autres marais. Il s'enfonça sous un épais couvert. La pénombre paraissait à cet endroit comme une autre expression de la lumière. Il découvrit une ancienne construction laissée à l'abandon et un petit pré d'herbages où des ânes noirs venaient paître jusqu'au ventre.

Les sabliers avaient été taillés pour soigner les morsures de serpent. Les palétuviers et les gommiers, aux troncs peuplés d'araignées rouges, descendaient en ligne jusqu'à un torrent large d'une vingtaine de mètres. Le torrent s'étendait dans un tumulte d'écume et de roche. Son bruit était vacarme, cri. Les pluies tropicales avaient gonflé les berges et leur avaient donné de la profondeur. Un homme n'aurait pu s'y tenir debout.

Le torrent était encaissé entre deux murs de verdure. Don Octavio mit un pied et l'eau coupa sa cheville. Il prit alors un rondin assez lourd, arraché d'un acacia par quelque orage, et le jeta dans les flots. Le rondin tourna, rebondit sur les pierres et disparut sous des floraisons d'aloès.

À cet endroit, la rivière était infranchissable. Octavio longea les rives jusqu'à arriver près d'un samane. Là, elle faisait un coude. Elle s'ouvrait sur un lit rocheux, aux eaux ronflantes, plus calmes, qui n'arrivaient qu'à la ceinture. Une maison en terre battue et au toit de palme se dressait comme une guérite sur la rive.

Don Octavio frappa dans ses mains pour appeler. Personne n'ouvrit. Des feuilles de maïs s'entassaient dans un coin. À l'ombre de la maison, il se coucha. Mais à peine avait-il fermé les yeux que le silence le réveilla.

Le torrent s'était tu. On n'entendait peut-être, au loin, qu'un léger clapotis sur une pierre. Il fit le tour de la maison. À sa surprise, il constata que le torrent n'était plus qu'un mince filet d'eau qu'un enfant aurait pu traverser d'un saut. Mais à mesure qu'il s'approchait, le ruisseau grossissait, reprenait son tambour assourdissant, enflait, faisait parler toute chose. À chacun de ses pas, le ruisseau redevenait torrent.

– Qui es-tu ?

Don Octavio se retourna. Derrière lui, l'homme qui avait parlé se tenait en chasuble, vêtu comme un jésuite, les cheveux tirés en arrière. Il était long et maigre. Son torse n'était pas plus large qu'un roseau et ses os saillants crevaient la peau à certains endroits. Il était si léger qu'il s'était approché sans bruit, sans faire crisser l'herbe sous ses pieds, comme l'ombre portée d'une silhouette.

– J'suis un voyageur égaré, répondit Octavio.

L'homme fit silence et considéra son allure robuste. Son visage tout à coup se détendit au passage d'une idée.

– Éloignons-nous du torrent, conclut-il.

Ils entrèrent dans la cabane. La porte donnait sur une pièce assez claire qui sentait le chêne humide et la paille enfermée. Les murs étaient bâtis d'un mélange de sable, de glaise et de bouses de vache, le plancher fait de vieilles planches d'une masure abandonnée, les fenêtres de pare-brise de camion. L'eau venait directement du torrent au moyen d'une rustique installation de canalisations. Il n'y avait pas d'électricité, mais la maison ne manquait pas de lumière. Le bois très dur du palétuvier avait été utilisé comme poutres maîtresses. À l'entrée, des morceaux de viande étaient tenus au frais dans un puits aux parois d'argile. Une odeur de braises froides sortait d'un brasero en métal.

– On peut défier les hypothèques et avoir sa propre maison, expliqua soudain l'homme sans se présenter. Il suffit d'avoir la terre. Si tu as la terre, tu as le pouvoir.

Il avança sur une table basse deux verres et un broc d'eau. Des chandelles étaient allumées, fichées dans des bouteilles. Derrière lui, une gravure représentait saint Christophe portant l'enfant Jésus.

– Nous sommes-nous déjà rencontrés ? demanda-t-il.

– Non.

– En es-tu sûr ?

– J'oublie pas un visage.

– Moi non plus.

À présent, l'homme était plus épais. Ses joues s'étaient remplies, son cou élargi. Il raconta qu'il possédait des terres non loin de Valencia qui lui laissaient un petit revenu et des lapins qu'il échangeait contre du drap. Il dit aussi qu'il avait été commis de voyage, agriculteur, ouvrier de pipeline. Sa vie paraissait s'inscrire dans cette métamorphose, dans la ligne de cette silhouette changeante. Il était né dans un terroir ingrat, épuisé, dont personne ne voulait. Aujourd'hui, il vivait des fruits qu'il cueillait, des oiseaux qu'il chassait, et de silence.

– Un silence tout à fait relatif, précisa-t-il, car il reste cependant, dehors, toujours ce même scandale de torrent, cette eau vivante, qui est comme un râle qui meurt au loin, et qui revit sans cesse.

– C'est un torrent ou un ruisseau ?

– C'est une prison.

– Et d'l'autre côté ?

– Des forêts. Mais pour traverser, il faut avoir les jambes solides comme deux chênes. Les voyageurs veulent passer. Ils jettent un rondin et finalement préfèrent longer les berges. Il y a trop de fondrières, personne depuis longtemps n'ose plus les franchir. On peut s'y noyer.

Don Octavio voulut rester quelques jours et, sans discuter, l'homme lui suspendit un hamac entre deux arbres à pain. Jour après jour, Octavio observait comment cet hôte étrange restait longtemps couché sous le bois du samane, à plat sur les humides pâtures pour ne pas couper la lumière. De temps en temps, il levait la tête et regardait vers l'horizon afin de calculer, d'après la hauteur du soleil, l'heure qu'il pouvait être.

Quand il était loin de l'eau, son corps était plus grand et plus fort, il pouvait à cette distance soulever des madriers, changer la paille, porter des charges du double de son poids. Or, lorsqu'il s'approchait du ruisseau, il rapetissait à vue d'œil, tandis que le ruisseau, fragile, reprenait ses crues, grondait de nouveau. Don

Octavio voyait comment l'eau récupérait la chair que l'homme perdait à sa rencontre. Comme deux corps qui se partageaient le même muscle, ils semblaient liés par un miracle qui aussitôt les séparait.

Octavio prit goût à cette vie sans fardeau. Derrière la cabane, un vieux potager abandonné avait autrefois donné des récoltes. Comme le sol était ameubli, retourné par le soc, enrichi de poudres végétales, la terre était fertile. Il se proposa de reprendre les labourages pour cultiver du sésame, du tamarin et de la grenadille. Les boyaux servirent d'engrais et il put obtenir des litchis, des anones, des pommes de lait. Il y eut même, au milieu du potager, du compost qu'il entassa dans une fosse, et un figuier aux feuilles lourdes qui assit son tronc comme un trône. Octavio aimait l'odeur d'humus et de feuillage, le rire des guacamayas dans le ciel, les essaims d'insectes dans l'air.

Un jour, le torrent fut pris d'une telle ivresse qu'il emporta dans sa folie un arbre penché, tout un tas de branchages divers, des mottes de terre et des charognes de rongeurs. Les épaves échouèrent sur les berges près de la maison. Parmi elles, un rondin retint l'attention de l'homme. D'un coup de hache, il l'éventra et se tint immobile devant l'entaille.

– Tu vois, dit-il, comme s'il y lisait quelque chose. Le bois est sec à l'intérieur. Quelqu'un vient de le jeter à l'eau. On a de la visite.

XII

Par l'orée de la forêt, une femme et un homme arrivèrent jusqu'à la cabane. Ils expliquèrent qu'ils avaient longé les berges en remontant le courant, pensant que la source serait plus accueillante. Ils avaient gravi le talus de la montagne, atteint le sommet, et de là-haut avaient vu la mer, les îlots peuplés de mangroves.

– Nous avons cherché la source en vain, dit la femme. Aussi loin qu'on aille, les eaux sont tumultueuses. Nous avons jeté un rondin et il a été emporté avec une telle force que nous avons décidé de redescendre.

– Ce torrent n'a pas de source, répondit l'hôte.

– Tout fleuve a une source.

– Il est bordé de palétuviers et leurs graines germent alors qu'elles sont encore sur l'arbre. Lorsqu'elles se détachent, elles tombent près du pied. Alors un jeune palétuvier repousse à ses côtés, fait reculer la mer et disparaître les sources.

– Ce n'est que de l'eau, enfin, s'exaspéra la femme. Nous construirons un radeau.

– Elle vous noiera.

– Un pont alors.

– Le torrent augmentera ses crues d'une façon imprévisible. Il emportera vos premières planches.

– Il doit bien s'arrêter quelque part.

Don Octavio suivait la conversation en silence. Il se leva, s'approcha prudemment du groupe, en se tenant à distance, avec l'attitude d'un animal domestique.

– Moi, j'peux passer, dit-il.

– L'hôte se retourna avec surprise.

– De quoi parles-tu ?

– Mes jambes sont assez solides. J'sais que j'peux passer.

– Tu te noieras, imbécile.

Mais l'assurance de Don Octavio fit oublier pendant un instant la violence du torrent.

– J'me noierai pas, répondit-il. J'attach'rai une corde d'l'autre côté. Après, ce s'ra plus facile.

Aussitôt dit, il amarra une corde tressée de jonc et de crin au tronc du samane. Il entoura l'autre bout autour de ses reins et se chargea de grosses pierres qu'il prit sur ses épaules dans une nasse en osier.

– Plus j'serai lourd, plus il s'ra difficile de m'emporter.

Lorsqu'il fut à un mètre du torrent, l'eau fit battre ses flots, écumant, grossissant. Sur les berges, elle poussa des hurlements comme une armée. Don Octavio posa un pied sur une roche couverte d'algues. Le torrent redoubla de force, se creusa, fit des montagnes. L'hôte lui lança un bâton sur lequel il parvint à s'appuyer, cherchant l'équilibre, avant de poser l'autre pied. Ses jambes chancelantes résistaient, tâtonnaient parmi les galets pour éviter la profondeur, paraissaient déjouer comme par instinct l'architecture cachée.

Arrivé à mi-chemin, Octavio faillit être emporté. Une pierre bougea dans le fond et le fit vaciller. La femme poussa un cri depuis la rive, mais il put aussitôt se tenir au bâton, regagner sa stabilité et, avec un calme qui surprit ceux qui le regardaient, lutter sans fatigue. Il repartit de son pas de géant, de géant têtu, les reins sanglés de vigueur et de courage. L'eau lui creusait la taille, le vent lui rongeait le cou. Il avançait pourtant sans fléchir, livrant combat. Quelquefois, le torrent devenait si agressif qu'Octavio ne parvenait plus à continuer. Sous les vagues dévorantes, il se tordait en attendant une baisse des crues, recroquevillé, les bras en croix sur sa poitrine, puis reprenait d'un pas lourd, le corps remué d'une énergie brusque. Il était là, entier dans cette bataille, dominant les dangers avec l'obstination démesurée des grandes entreprises humaines. Un orage d'embruns l'enveloppa jusqu'à le faire disparaître. Il réapparut, plus loin, à un mètre du rivage : la forêt n'était donc pas assez vaste pour le retenir.

Sur le bord, la poitrine haletante, Octavio reprit son souffle à plat ventre. Pour la première fois, il observa la cabane vue de l'autre berge. Elle était petite, écartée. Les trois silhouettes au loin firent des célébrations. Il y eut une éclaircie. Le soleil frappa son visage, plongea dans sa chair les graines d'une victoire. Et Octavio se sentit loin, infiniment plus loin.

La traversée du torrent laissa dans le bois de son cœur une marque inexplicable. Il ne voulut plus quitter la cabane. Il voulut au contraire servir ce maître invisible, fait d'écume et de remous, sentir la voix de cette solitude trouver écho dans la sienne. À partir de ce jour, de ville en ville, la rumeur se répandit qu'un géant faisait passer d'une rive à une autre, pour quelques victuailles, les voyageurs sur son dos.

Ils furent nombreux à se présenter. Des débiteurs fuyant leurs créanciers, des époux fuyant leur femme, mais aussi des indigènes fuyant les exploitations minières, des paysans fuyant l'injustice des latifundistes. Certains venaient les mains vides, implorant une faveur, agneaux de Dieu. D'autres offraient des poules ou des porcs. Don Octavio ne refusait jamais. Ce n'était pas l'homme devenu animal, l'homme devenu mule. Cette traversée était devenu vitale pour lui tant l'alchimie qui s'y opérait trouvait, dans le torrent de son âme, son sens unique et véritable.

On lui apportait en abondance des habits de ville, des colliers de verroterie, des tabourets en bois de *cují*. On déposait parmi les roseaux des lièvres évidés, des viandes de tatous, des œufs d'iguanes et de crabes. On étalait sur la table des calamars et des girelles royales dont la saumure piquait au nez. Les femmes ôtaient aussitôt des petits écus d'or qu'elles portaient sur la poitrine pour lui en faire offrande. Mais Don Octavio regardait ces trésors sans y toucher. Comme autrefois dans l'église, il s'attelait à sa tâche, distant du reste.

C'est l'hôte qui recevait ce qu'Octavio refusait. Il parlait en connaisseur aux hommes de fortune, dansait avec les chanteurs de rites, ne confondait jamais les croix des différentes paroisses. D'habitude en haillons, il se parait à présent de soieries délicates et de beaux lainages. Il prenait des airs de gentilhomme, tournait des compliments aux dames. Le potager, jadis sauvage, devint un petit enclos tracé au cordeau entre des bordures en béton où poussaient des fruits aux pulpes grasses, des épices venues de loin, de la citrouille. Octavio greffait, serrait les ligatures, arrosait avec un soin religieux pour que pas une feuille ne fasse de l'ombre à une autre. Ce fut une époque où le vent courait en longues risées chargées de papillons. Il y avait là les débuts des civilisations où l'on passe de la communauté à la bourgade, de la bourgade au village, et du village à la ville. Tout naissait comme un bouton de progrès. Dehors, la cabane paraissait une cahute : dedans, ce devint un palais.

L'hôte eut des maîtresses. Pour bien les recevoir, il saigna des truies dont il séchait la viande dans un saloir. Il laissa Octavio dormir dehors, même sous la pluie. Lorsqu'on lui offrit un fusil à canons tournants, il en oublia les femmes. Avec une émotion enfantine, il battit les tamariniers avec une gaule pour tirer sur les moineaux. Il négligea le potager pour ne plus s'intéresser qu'à la chasse. S'il s'enfonçait pour débusquer des coatis géants, Octavio devait faire résonner le tambour. S'il se camouflait pour s'approcher des nids, Octavio devait tendre le filet. Quand l'hôte manqua de poudre, il profita de la traversée d'un braconnier et échangea son fusil contre des grains. Il voulut construire un moulin à eau. Il fit abattre deux sabliers pour faire des aubes et, tandis qu'il coupait les plus grosses branches à la serpe, Octavio bâtissait une roue à la mesure des crues. Mais le moulin ne vit pas le jour.

Vint la saison des pluies. Les berges se couvrirent de vase. Plus personne ne voulut traverser. Le flot des voyageurs s'assécha. L'hôte regardait les forêts noyées de brume depuis l'autre bord. Ses yeux disaient quelque chose qu'Octavio ne parvenait pas à déchiffrer. Sa voix s'effrita en cendres. De ces rencontres, il semblait avoir gardé le goût des richesses et des mondanités. À présent, le vent n'apportait que des tourbillons d'embruns, sans musique ni fleurs.

Faute de viande, il fallut manger les grains. Les couches se remplirent de larves et le potager ne donna plus que des racines sèches. Comme l'eau inondait les sillons, la terre s'embourba. Le figuier mourut en quelques journées tragiques. Les iguanes descendirent des arbres, avec leur queue à écailles et leurs prunelles d'ambre, pour manger ce qui restait des dernières pousses. Le vent décolla les greffes et jeta bas les treilles. Vides de papillons, les nuits tombèrent sans crépuscule.

L'hôte parla d'émigrer vers la ville. Il ressassait sur toutes ces bonnes choses qu'ils avaient connues hier, sur les mets qu'ils avaient goûtés, sur les femmes qu'ils avaient embrassées. Il luttait sans cesse contre les assauts de ses souvenirs, le cœur serré de frustrations.

En quelques jours, il fut habité de cauchemars. Il se réveillait en sursaut, nommant des monstres cornus qui avaient des airs de diables, et transpirait une eau qui avait la saveur du torrent. Des sanglots tremblaient dans sa gorge, mais ne sortaient pas. Don Octavio lui préparait des infusions d'orties et de cannelle, des purges qui lui ôtaient l'appétit et des saignées qui le faisaient somnoler. L'hôte empirait, sombrait dans les délires, suait à grosses gouttes en roulant des pupilles.

Un matin, affolé par une vision, il réveilla Don Octavio et, sans un mot, désigna l'autre rive. Octavio flaira pour la première fois la chair pourrie dans son odeur. Il se leva, prit l'hôte sur ses épaules et entra dans le torrent.

Les flots poussèrent un râle dément, sourd. Tandis qu'Octavio avançait, le torrent poussait comme un bélier. Les muscles de l'hôte se réduisaient, son squelette s'amincissait, Octavio le sentait s'affaiblir, s'amollir en route. Et pourtant, à chaque pas, la charge se faisait plus lourde. L'hôte ne parlait déjà plus, il gazouillait comme un nouveau-né. Ses jambes devinrent ballantes autour de la nuque, ses mains jouaient avec l'air. Il perdait son âge.

À quelques mètres de la rive, Octavio se retourna. Celui qu'il vit, souriant et beau, entouré d'une lumière mystérieuse, fut un enfant pur et blanc qui, l'espace d'une seconde, sembla mettre sur son dos le poids intenable de tous les hommes. L'enfant pointait le rivage, de son petit doigt minuscule et gras. Un grand combat de flots s'achevait. Ce n'était plus l'hôte. C'était l'empreinte de lui-même. Le torrent avalait une vie qui lui avait offert, peut-être, par son imposante faiblesse, la beauté fragile qui lui manquait.

À la fin de la traversée, des deux hommes, il n'en resta qu'un seul.

XIII

À partir de ce jour, le voyage d'Octavio ne fut plus celui du mendiant. Son errance prit une pureté telle qu'elle semblait inviter tout homme à la suivre aveuglément. La disparition de l'hôte lui laissa un émoi brutal qu'il transforma aussitôt en élan de curiosité. Il ne sortit pas de la forêt de San Estebán. Il préféra parcourir les hameaux en bordure de l'autoroute vers Morón.

Il s'engagea dans les lisières, entre Las Trincheras et El Cambur, où il trouva des villages si isolés qu'on n'y recevait pas de courrier. Là où il passait, il apportait toujours la richesse des moissons, la bonne récolte, les nouvelles d'un hameau voisin. Il marchait dans les rues entre les chats et les chèvres, la boue jusqu'aux chevilles, vêtu d'une étoffe légère, ceinte d'une courroie, où il avait accroché un sac rempli d'akènes et de fruits secs. Il portait en bandoulière les pattes d'un coq dont il avait mangé la moitié et salé le reste pour une autre bouche que la sienne.

Il croisa des prédicateurs de l'Évangile qui profitaient des superstitions des fermiers pour leur soutirer de l'argent. Il connut des prophètes noirs, les gestes pleins d'énigmes, qui lisaient dans les coquillages. Mais

Don Octavio n'avait nul besoin d'une instruction religieuse, de *santerías* ou de gnoses. Il n'avait nul besoin d'un autel devant lequel se recueillir ou d'un parvis sur lequel prêcher. Il allait de maison en maison, offrant ses services, réparant le mur d'une infirmerie ou le toit d'une école. À l'aide d'autres hommes, il accomplissait ses bonnes œuvres, tendait les fils électriques le long des routes, levait les barrières d'un enclos, et une fois même, aux abords d'une grange, il castra seul un taureau que personne ne voulait approcher.

Il ne pillait plus les cimetières : il façonnait les murets, désherbait les niches, aidait à niveler les tombes. Dans les réserves à grains, il se reposait sur une housse de serge blanche. Il vivait sans s'inquiéter, sachant qu'il regagnerait le lendemain ce qu'il avait perdu la veille. Il dépensait les plus riches heures de sa force aux obéissances des plus pauvres.

Les femmes le voulaient pour fils, les filles pour époux. À El Dique, on lui offrit la colline en héritage. Octavio continuait son chemin. Dans sa marche, il avait pour le monde un dévouement presque poétique. Certains parlaient d'un géant né d'un torrent, d'autres d'un esclave arraché à la liberté. Quand on lui demandait, il répondait qu'il venait de la terre.

Il gagna une communauté entourée d'une délicate ligne boisée fermant l'horizon. Derrière le village, le paysage descendait en faible pente jusqu'à une rivière où un petit étang, alimenté en source d'argile, servait pour élever des tilapias. Dans cette même communauté vivaient des familles indigènes et des familles créoles.

Elles cohabitaient en un accord tacite, au centre d'un grand cercle de cabanes en pisé et en torchis, divisées par des claies de paille. Pendant la journée, des hommes aux barbes de bouc fauchaient les prés sans lever le nez. Des femmes soignaient l'asthme avec l'huile de *ceje* et l'eczéma avec le lacre orangé. Des glaneuses en alpargates cueillaient l'épi, et au cœur du village, on donnait aux enfants des coups de rameaux de lantana mauve pour chasser la varicelle.

Octavio y demeura quelques mois. L'analphabétisme avait isolé le village du monde. Faute d'instituteur, on ne savait lire que les caprices du ciel et on comptait jusqu'à cinquante. Comme il ignorait toutes les lois de la pédagogie, et parce qu'il n'avait aucun point de référence, il se crut soudainement en mesure de transmettre des bases simples pour enseigner l'alphabet. Dans une churuata qui servait à la fois de dortoir, d'infirmerie et de marché, tous les matins de la semaine, un essaim d'enfants indigènes et créoles l'attendaient en jouant à se poursuivre en grand vacarme, jusqu'à l'instant où ils voyaient surgir de l'horizon brûlant la silhouette forte et pleine de Don Octavio, depuis la rue ensoleillée.

Homme ferme, laborieux, il inculqua rapidement aux élèves le respect de l'exemple. Les jeunes filles apprirent à écrire sous la dictée et les jeunes garçons à compter les fruits d'un arbre en un seul coup d'œil. Parfois, les enfants manquaient pour aller vaquer aux foins ou à la garde des troupeaux. Octavio pardonnait ces absences, séduit par l'idée de les imaginer instruits par la nature.

Face à ce dévouement, les adultes du village voulurent lui construire une cabane près d'un bief où l'eau était potable. Octavio vit dans ce petit canal l'allégorie du torrent qui avait précipité l'hôte dans la folie. Il déclara qu'il trouverait seul son logis et prit le chemin qui menait vers les sommets de la Hilaria, à quelques kilomètres de la pente.

La pluie tombait. Une pluie forte, saccadée. Octavio parvint jusqu'aux hauteurs d'une muraille fatiguée.

Nu-tête sous la pluie, il se réfugia dans un renfoncement assez sombre, une grotte tapie entre plusieurs arbres aux branches basses. Comme le jour prenait fin, il pensa y passer la nuit. Il arracha des liserons rampants qui pendaient en cloches blanches, coupa des plantes qui tordaient leurs sarments le long des pierres, retira l'humus et la mauvaise herbe. Il ramassa des brindilles et construisit un foyer de feu dans un cercle de cailloux. Les premières flammes attisèrent les feuilles, il souffla pour faire de la braise. Mais lorsque le feu éclaira la grotte, à la lueur tremblante des flammes, il vit se dresser d'un coup face à lui, de toutes parts, tel un monstre ivre, une immense roche mauve de quatre ou cinq mètres de hauteur, divisée en trois grandes cicatrices, où des dessins le regardaient depuis un million d'années.

Ils représentaient des insectes, des étoiles, des animaux, des outils. Octavio chercha aussitôt à déchiffrer ces signes. La pierre muette parlait toutes les langues. Il lui fallut quelques minutes pour reconnaître un détail du pétroglyphe de Campanero. Cette pierre qui lui avait valu tant de mois d'exil depuis le soir du cambriolage et qui n'avait dû avoir, comme seuls lecteurs, que les aras et les orchidées.

Il remarqua un alignement presque géométrique. L'ensemble avait une cohérence, les groupes d'animaux se séparaient du groupe d'étoiles, le mystère offrait une architecture simple. Or, cette écriture n'avait pas été tracée par des mains humaines. Des milliers de générations végétales avaient mangé de cette pierre, de cette froide nourriture, couvrant de mousse le sol, de fougères les recoins, dans une légitime possession. Ainsi, à Campanero, l'écriture n'était pas née de l'homme. Elle était née de cette nature sans raison, où rien ne vient empêcher la soif tropicale de grandir, de s'étendre, de s'élargir dans une ivresse sans mesure. Elle était née de cette frénésie, qui fait plier le genou à toutes les abondances, à toutes les démesures. Elle était née de l'odeur de sel que le vent porte depuis l'océan, de la silhouette imposante du pic de la Hilaria, elle était née ici, dans la cordillère côtière du Venezuela, dans les sourdes forêts de San Estebán.

La jungle protégeait ses vestiges. Un amphithéâtre d'arbres s'élevait pour faire de l'ombre aux dessins afin que le soleil ne les tanne pas. L'endroit était isolé de capucins qui par instinct se frottent à la pierre et font disparaître les marques. L'air était empli de ramages pour l'abriter des excréments des toucans. La nature couvait son héritage. Elle l'avait hérissé de palissandres et de fromagers, de ceibas et d'un entrelacs de lianes géantes. Tout autour se dressaient des cactus en forme de boule et aux longues épines. À la façon d'une mère, elle défendait sa descendance. Elle n'avait pas attendu des hommes comme Guerra, une confrérie de cambrioleurs. Elle accouchait dans la rumeur vivante des langues indigènes, des hiéroglyphes venus des profondeurs organiques, quelque chose qui bruissait et bougeait à Campanero.

Octavio s'accroupit devant son feu, replia ses bras autour de ses genoux et resta longtemps immobile dans cette pénombre.

Au contact de la lumière, ses mains se projetaient sur les murs, en répétant ses gestes. À le voir, l'homme descendait sans doute d'un animal dessiné dans une caverne. Une humanité y tenait tout entière. Octavio surprenait enfin la naissance d'une littérature qu'il avait tant cherchée dans les étagères de l'église et dans les enseignements de Venezuela. Ce grand livre avait été fermé pendant mille ans. Comme la pierre, il avait résisté au temps. La littérature était donc une pierre.

XIV

Dans le village, deux cabanes se tenaient distantes de cent mètres l'une de l'autre, celle des Reyes et celle des Atalaya. Les deux familles commerçaient entre elles, respectaient les frontières des haies et surveillaient l'incursion de leurs bêtes. Les coutumes qui auraient dû les séparer par tradition les rejoignaient par habitude.

Le père Zoilo Reyes, un homme sec, fort vilain, dur comme un clou, accumulait toutes sortes d'objets inutiles avec un dérisoire instinct de collectionneur. Sa cabane, quoique petite et basse de plafond, ressemblait à une quincaillerie où les gens du village venaient brocanter et qu'il faisait visiter, même le dimanche. Il y tenait des registres désordonnés, épinglant les dates et les anecdotes, afin de nourrir par de subtiles précisions les miracles de la science et les inventions de demain. Dans ce musée, tout sentait l'alcool de genièvre et l'huile de merle.

Il eut avec sa femme, Ana María Reyes Sánchez, dix-sept enfants, dont la petite Eva Rosa qui montra dès les premières années un esprit distingué. Eva Rosa se préoccupait de pisciculture, tissait des sacs en poil de chèvre, parait les vaches avec un soin maternel et semait le grain avant l'aube. Elle avait un visage sculpté dans la porcelaine, avec de petits yeux gris comme un métal clair, dont la peau délicate n'avait pas été effleurée par l'âge. Toujours coiffée d'un peigne en écaille, elle enveloppait les centimes dans un mouchoir et les cachait dans son soutien-gorge pour avoir la fortune plus près du cœur. Elle qui était si pudique et si sérieuse, étrangère à toute rumeur, fit pourtant un jour parler d'elle.

Secrètement, elle tomba amoureuse de Chinco, le benjamin de la famille Atalaya, un garçon indigène d'une beauté ténébreuse et mélancolique, le jour où il lui offrit une petite cage à troupiale qu'il avait fabriquée avec des branches de teck. Chinco Atalaya était dur à l'ouvrage, d'un bon caractère. Sa peau rappelait l'ocre rouge en poudre. Silencieux, souvent mystérieux, il avait une politesse naturelle envers les choses et les êtres, savait tenir droit le sillon, atteler les chevaux, tailler une haie et greffer les rosiers avec érotisme.

Ce jour-là, ils étaient partis ensemble dans les prés, les cheveux s'agrippant aux fleurs. Ils avaient cherché au fond des nids l'oiseau qu'ils feraient entrer dans leur cage. La journée était tiède. Eva Rosa portait une robe légère et riait de tout. Chinco Atalaya lui prenait la main, timide mais ferme. Sur son visage d'adolescent brûlait la lumière discrète d'un présage. Ils marchèrent sans hâte à travers les bois, jouant à s'empoigner, se roulant dans les fourrés, livrant leur cœur à l'impatience de l'autre. Et là, dans un creux d'herbe, les rires étouffés, ils surent aussitôt que la cage ne serait pas assez large pour enfermer tous les oiseaux de leurs désirs, sauvages et fougueux, qui se déplumèrent dans un envol de baisers.

Après un retard de six semaines, Eva Rosa comprit qu'elle était enceinte. Comme le père Zoilo avait élevé les siens à la valeur animale que la femme ne doit mettre bas qu'à la fin d'une jeunesse laborieuse et dévouée, elle tenta d'avorter plusieurs fois au milieu des champs avec des poireaux qui, à la façon des éponges, ressortaient d'elle aussi mauves que des aubergines.

Au mois de décembre, Eva Rosa ne put plus rentrer son ventre. Le père Zoilo apprit la nouvelle, entra dans sa cabane, fou de rage, chercha dans sa quincaillerie une carabine qu'il gardait toujours propre, bien graissée, et voulut abattre sa fille qu'il considérait comme la seule responsable de ce crime contre la morale familiale. Voyant son père dégainer, dans un réflexe de survie, Eva Rosa parvint à fermer une porte à l'instant où il tira, et ce fut ainsi que, de cette faute originelle, elle ne reçut comme châtiment qu'un éclat de bois, quand la balle vint frapper la porte avec un bruit de péché.

Tout le village eut une version différente. Quelques jours plus tard, avec une élégance tout à fait apostolique, le père Zoilo vint lui-même présenter ses excuses et dissimula cette affaire avec un beau crucifix en ivoire bleu qu'il suspendit à l'endroit exact du trou.

Autour du mois de mars, les contractions firent pousser à Eva Rosa des cris à pleine gorge. Dans la cabane des Atalaya, tapissée d'herbes sèches, les matrones du village la couchèrent sur une grande malle d'osier retournée. Une auréole de jeunes filles en robes blanches l'entoura dans une obscurité presque complète, tordant des linges rouges et appliquant des pans de tissu mouillé sur son front. La mère, Ana María Reyes Sánchez, enceinte elle aussi, tendait des brocs d'émail qui sentaient la balsamine à un homme dont le visage ne se distinguait pas dans l'ombre.

Il était vêtu d'un pantalon rayé, d'une casquette à visière et d'un gilet beige avec plusieurs poches à braguette. Il avait l'air de la ville. Un grand sac ouvert à ses côtés contenait des antiseptiques, des compresses, des sachets de réhydratation, de l'huile d'amande douce pour les croûtes de lait et des préservatifs. La tente n'avait de jour que quelques chandelles. Dans cette pièce à peine éclairée, entre les cuisses ensanglantées d'Eva Rosa, il semblait s'occuper de cette mise au monde simplement guidé par les contractions et les hurlements.

L'accouchement dura trois jours. Dehors, hors d'haleine, le père Zoilo faisait des allers-retours et jetait aux boîtes de conserve des coups de pied angoissés. Plusieurs fois, il fallut deux mulâtres pour l'empêcher d'entrer. Le deuxième jour, après avoir fouillé toute sa quincaillerie, il installa une tente face à la cabane des Atalaya et campa là avec des paysans, prêt à tout malheur. À l'aube du troisième jour, les matrones sortirent. Le père Zoilo poussa tout le monde en gestes pressés et s'avança vers elles en tendant ses bras pour recevoir l'enfant. Mais à sa surprise, ce furent des jumeaux que les matrones posèrent contre sa poitrine : l'un avait la peau claire d'Eva Rosa, l'autre la matité de Chinco. Ému comme jamais, le père Zoilo eut la voix tremblante.

– Ils sont comme le soleil et la lune, dit-il enfin. Que le ciel les protège !

Et pleurant pour trois, il déclara qu'il mettrait en œuvre toutes les entreprises imaginables afin que leur enfance se déroulât dans la gloire, puis, un garçon au creux de chaque coude, il se dirigea vers sa cabane où l'attendait un siècle de complicité avec ces deux êtres qu'il avait essayé d'abattre quelques mois auparavant.

La famille s'installa pour veiller sur la convalescente. Des voisins déménagèrent les lieux et lavèrent le sol. Une foule entrait et sortait de la tente. Comme Octavio s'enfonçait parmi les gens, il entendit derrière lui :

– Don Octavio !

Il se retourna. L'homme qui avait passé trois jours sous les cris d'Eva Rosa, vêtu d'une casquette à visière et d'un gilet beige, était Alberto Perezzo, le jeune médecin de Saint-Paul-du-Limon, qui sentait à plein nez l'éosine et l'âtre enfermé, et lui ouvrait de longs bras couverts de sang.

– Tu as rajeuni, Octavio ! s'exclama-t-il avec enthousiasme. On t'a fait mettre les mains dans les plaies du Seigneur ?

Il riait. Sa voix avait l'accent de la capitale. Il le serra dans une effusion amicale, et Octavio sentit pour la première fois que ce geste familier effaçait soudain la distance du docteur au patient. Épuisé par ce qu'il venait de vivre, le médecin se ressaisissait lentement.

– Voilà qui est triste, dit-il. Des gamins de seize et quatorze ans qui en font deux autres. Ça fait quatre à la maison. Difficile d'élever du monde dans des conditions pareilles.

– Ça finira toujours par s'arranger.

– Tu penses bien qu'ils n'ont pas le choix…

– On a toujours le choix, répondit Octavio avec sagesse.

Le jeune médecin recula pour mieux le regarder. Octavio avait changé. Désormais, son esprit domestiquait ses gestes. Cela se voyait à sa façon de se tenir, de cintrer ses épaules.

Ils s'assirent près de l'étang à tilapias où des herbes luisaient en nappes blanches. Au niveau d'un étranglement partait un autre cours d'eau. Le jeune médecin retroussa ses manches et se frotta avec un savon rose qu'il rinça à grande eau. Il avait maigri, c'était évident, mais son visage n'avait rien perdu de son air volontaire. Il regardait Octavio assis à ses côtés, les mains à plat sur ses genoux, l'esprit à la fois serein et inquiet.

– Docteur, que faites-vous ici ?

Alberto Perezzo se permit un silence avant sa réponse. Il épongea les gouttes de sueur qui emperlaient son front et recommença à frotter ses bras, penché sur l'eau. La question l'embarrassa.

– Ça s'est gâté à Saint-Paul, commença-t-il. Il y a eu une descente, un jour, à l'église. Je ne sais pas trop. Tout le monde a raconté quelque chose de différent. Je travaille avec les malades… et les malades, à force d'être enfermés, finissent toujours par déformer la vérité.

Il avait dit cela pour le ménager. Or Octavio, indifférent aux précautions d'usage, l'écoutait sans étonnement. L'eau faisait un bruit de pierre.

– Comme tout le monde, je ne sais pas grand-chose, continua le médecin. J'ai entendu dire que l'église était habitée par des cambrioleurs, des voleurs, enfin je ne sais plus. Il y a eu une descente. Pour ma part, j'ai fait ma valise.

Craignant d'en avoir trop dit, il se tut. Il ne voulait pas parler des fusillades qui avaient mis le bidonville à feu, des charpentes à demi effondrées de l'église, des femmes blessées, des milices qui intervinrent pour défendre leurs intérêts et des corps de police qui tiraient derrière les murs. Il ne voulait pas parler de ça à Octavio qui, éloigné de cette réalité, s'en était construit une autre, semée de noyers, de mahots et de mimosas, où des paysans peuplaient l'horizon, où des enfants taillaient des branches pour faire un manche d'outil, où des femmes portaient des œufs dans le creux de leur devantière.

– Quoi qu'il en soit, dit le médecin, cette histoire m'a permis de voir bien du pays. C'est pas mauvais ! Et pour toi non plus, Octavio.

– En effet.

– J'ai pris des embarcations de *voladoras* de Puerto Ayacucho jusqu'à San Fernando de Atabapo. J'ai travaillé deux mois à l'ambulatoire de Maria Garrido. Ça change de Caracas. Tu savais que la nature guérit tous les maux qu'elle provoque ? Vraiment… tu n'imagines pas les ordonnances que la forêt délivre !

Don Octavio disait « en effet », « c'est vrai », mais il le disait avec un air si dégagé qu'Alberto Perezzo se rendit compte qu'il ne l'écoutait pas. Avec le bout de sa sandale, il traçait sur le sable des lignes, des formes, ses initiales. L'eau, devant eux, brisait la lumière. Solide et constante, elle courait sans relâche jusqu'à l'autre bout du pays, jusqu'aux cent bouches de l'Orinoco, dans la péninsule de Paria, emportant avec elle tous les parfums de San Estebán, toutes les clameurs de Macarao, toutes les langues de Tacarigua. Son doux ruissellement, comme le sien, se confondait aux promesses d'un exil.

Le voyant aussi désargenté, le médecin voulut ajouter une note d'optimisme.

– Et puis, tu sais… l'affaire du bidonville n'a pas si mal tourné. L'église figure désormais sur la liste des patrimoines récupérables. On veut en faire un théâtre.

À ces mots, Octavio sursauta.

– Un théâtre ?

– Oui, répondit le médecin. Dans le cadre d'une réhabilitation des espaces publics.

Octavio fixa l'horizon et se mit à rêver. Il s'interrogea lui-même, troublé par cette idée, dans un murmure : « Pourquoi un théâtre ? »

Alberto Perezzo pensa que la question lui était adressée et regarda ses bras tachés de sang.

– C'est vrai, dit-il enfin. Ils auraient pu faire une salle d'accouchement.

XV

L'idée d'un nouveau départ s'empara de Don Octavio sans inquiétude, sans bruit, comme une évidence. Il sentit soudain la fatigue du long voyage peser sur ses épaules. Sa haute taille se voûta un peu. S'il fallait repartir, pensa-t-il, il aurait fallu que ce soit pour la dernière fois. Ainsi, le courage et la ténacité qui lui avaient permis d'errer pendant si longtemps dans les terres de San Estebán lui permirent aussi de revenir à Saint-Paul-du-Limon, en quelques journées épuisantes.

Il regagna cette terre qu'il crut ne plus reconnaître pour l'avoir quittée trop précipitamment. Dans le bus qui l'amenait à Caracas, il vit défiler ce paysage qu'il avait mis autrefois deux ans à traverser et qui, à présent, s'effaçait en deux jours de route. On le déposa à La Bandera où il prit un autre bus pour Saint-Paul.

À la descente, il avait erré au hasard dans l'enchevêtrement des passages dont certains étaient si étroits qu'il fallait les prendre de côté. Ce n'était plus l'infini des campagnes, la bouleversante immensité des champs, les plateaux découverts sur des kilomètres, mais un espace coupé de rangées bétonnées, de pensions à étages, de cubes entassés comme des nids d'insectes. Les couloirs sentaient la paillasse et les mangues écrasées. Au pied d'un escalier, un mendiant solitaire tenait un écriteau : « Contribuez au patrimoine de la misère. » Tout semblait désespéré. Octavio eut un vertige. Mais malgré la crasse et le danger, c'était son bidonville, la terre qui l'avait vu naître, le sol profond et caillouteux où il avait grandi. Plongé dans une nostalgie qu'il ne savait guère expliquer, il éprouvait cependant quelque chose qui ressemblait à de l'attendrissement.

Il souhaita revoir sa maison et remonta la colline. Contre les murs de son taudis, il trouva des pelletées d'ordures, des orties, une mare à purin à la forte odeur d'urine. Une poule picorait des miettes de pain près d'un muret. Derrière la porte, il entendit une conversation.

Il frappa. Les voix se turent.

– Qui c'est ?

Il frappa de nouveau.

Une grande femme ouvrit, forte, bâtie comme un tonnelier, avec des rouleaux dans les cheveux. Elle s'essuyait les mains sur un tablier de coiffeur. Habituée à toiser les hommes de haut, elle fut cependant dépassée d'une tête par Octavio. Elle flancha et se rattrapa aussitôt avec un ton d'humour.

– *Cristo*… dit-elle. Je préfère vous nourrir que vous habiller !

On entendit des rires à l'intérieur et la voix du début demanda de nouveau « Qui c'est ? », moins fort, mais avec plus d'insistance.

La dame fit bouger sa chevelure embobinée. Elle considéra de haut en bas Octavio avec indiscrétion et répondit, penchée vers le salon.

– Ne cherche plus de mari pour te maintenir, ma belle… je t'ai trouvé un arbre pour te faire de l'ombre.

Puis, examinant Octavio, elle l'invita à la suivre en roulant des fesses.

Dans le salon surencombré, on avait installé de vagues étagères avec des torchons, un peu de vaisselle et des paquets d'*Harina Pan*. Il y avait une bonne odeur de cuisine. Assise près d'une table, une femme plus jeune, des épingles accrochées au revers du peignoir, faisait sécher son vernis à ongles en soufflant sur ses doigts. Quand elle vit entrer Octavio, elle ferma le col de son peignoir et, le regard un peu inquiet, répéta pour une troisième fois :

– Mais enfin… qui c'est ?

Octavio posa ses affaires.

– Je suis celui qui vivait ici avant.

– Avant quoi ? demanda la femme avec arrogance.

Il ne répondit pas. Il parcourut la pièce et reconnut aussitôt la table où il devina des traces de charbon. Le mur qui séparait les deux espaces avait été conservé et la chambre était fermée. Comme il observait chaque objet en détail, la grande femme appuya ses bras sur le dos de la chaise et déclara, avec l'impression soudaine qu'elle n'avait pas su se faire entendre clairement :

– Si vous venez d'arriver, je connais quelqu'un qui peut vous trouver un lit. Je pourrais aussi vous sous-louer un compteur dans le nœud des piquets. Les fils électriques y pendent comme des lianes. Mais *señor*... et elle prit un air grave. Ici, maintenant, c'est chez nous.

Sans titre de propriété, Don Octavio savait qu'il n'avait aucune chance de récupérer sa maison. La terre n'avait jamais été sienne. Il prenait son baluchon pour partir, quand il entendit un gémissement, comme un râle, venant de la chambre. La plainte fut assez longue et forte. Sur le visage de la femme aux rouleaux aucune expression ne passa. Un second gémissement vint briser le cristal de l'instant, et Octavio reposa ses affaires.

– J'aimerais voir la chambre une dernière fois, dit-il.

– C'est indiscret, trancha la femme.

– *Señorita*, fit-il observer en signe de défense, j'ai habité ici toute ma vie.

Dans un souffle irrité, la femme sembla tout d'un coup oublier ses manières. Elle marcha vers la chambre à lourdes enjambées et ouvrit la porte brutalement. À l'intérieur, un lit, une armoire, une chaise. Le petit autel avait été transformé en table de chevet sur laquelle tenait un poste de radio.

Octavio fit un pas. Contre le lit, du côté du mur, une forme bougea. Un chien dormait sous le sommier. Mais la forme se redressa et il vit se lever un jeune homme d'une vingtaine d'années, le visage tuméfié, les poignets menottés. Une longue chaîne attachait son pied à celui de l'armoire. Surpris, les deux hommes tressautèrent. Ils s'observèrent dans la lumière sale, comme deux bêtes, au cœur d'une rencontre sans langage.

Il portait sa main à ses côtes, et une douleur poignante le faisait soupirer. Un bruit de chaîne accompagnait chacun de ses pas. Il avait les cheveux longs, le corps maigre, les yeux rouges. Du sang en traînées tachait son pantalon. Sa respiration était saccadée, maladive. Depuis des jours, dans cette prison, on paraissait lui avoir refusé les secours de la médecine et les attentions de l'amour.

– Qu'est-ce que c'est qu'ça… laissa échapper Octavio dans un murmure.

La femme eut une absence et regarda le garçon, dans un mélange de vanité et de sacrifice.

– Ça… dit-elle. C'est mon fils.

Octavio s'indigna.

– Pourquoi est-il enchaîné ?

La femme s'étrangla doucement.

– Pour qu'on ne me le tue pas.

Octavio ne voulut pas aller au bout de cette histoire, et la femme ne donna pas davantage d'explications. Dans ses yeux, nulle colère, nulle détresse. Tout était splendeur virginale. C'était elle, peut-être, l'enchaînée. Et Octavio vit brûler, dans son regard, une ressemblance secrète avec les forêts de San Estebán.

Prenant son baluchon sur l'épaule, il s'éloigna avec hâte vers la sortie mais, avant de franchir la porte, il passa devant la jeune fille.

– J'aimerais récupérer ma table, dit-il d'un ton sec.

La femme aux rouleaux acquiesça d'un hochement de tête. Elle ordonna à la fille de ranger son vernis à ongles et son maquillage. Sur cette table, on avait partagé le pain, on avait taillé et repassé, pétri la farine, coupé l'oignon, pleuré dans le chagrin. De nouvelles cicatrices brillaient à sa surface. Octavio la chargea sur son dos, et il la trouva plus lourde. Il prit le chemin d'autrefois, le dos voûté, le cœur plein d'échardes, laissant derrière lui les jours d'ignorance et de solitude, quittant cette maison qui ne lui appartenait plus.

XVI

Les travaux de rénovation de l'église démarrèrent en juin et s'étalèrent jusqu'au mois d'août de l'année suivante. L'architecte en charge du projet était un Valerano, Temistocles Jerez, né dans les cendres de Trujillo, qui avait participé à la restauration de la bibliothèque Mario-Briceño-Irragory et du Teatro Municipal de Caracas. C'était un obèse à la peau très blanche et aux cheveux très noirs, bouclés à la brillantine, qui accompagnait ses discours d'un pittoresque espagnol dont on applaudissait souvent les parades. On l'appelait « doctor », bien qu'il n'eût accompli que les premières années universitaires, et sentait le *currunchete*. Il avait coupé sa barbe, ne la trouvant pas assez au goût des femmes, mais quand il réfléchissait, il cherchait encore à la caresser distraitement par l'effet d'une vieille habitude.

Il était arrivé sur le chantier par la pente qui menait jusqu'au parvis avec le maître d'ouvrage, Bracamonte, dans une voiture à bras chargée de matériaux. Autour de l'église, la terre était ocre, rocailleuse. Tout était jonché de débris. Bracamonte leva les yeux pour juger de l'état des poutres et prit des mesures. En bordure d'un mur effondré, à l'aide d'un burin, il creusa un petit sillon dans les pierres.

– Le ciment qui comble les intervalles s'effrite déjà et les murs sont armés d'une vieille ossature de bois, observa-t-il en estimant à l'œil la solidité des bastaings et des colonnes. Il faudra ferrailler.

Temistocles Jerez avait coutume de tout reporter sur un petit carnet pour ne pas avoir en s'en inquiéter plus tard. Il nota *Ferrailler*, et parla aussitôt de décapage.

Il expliqua que la façade extérieure devait être conservée pour ne pas rompre avec le style néoclassique mais, vu le niveau de pollution, il conseillait de remplacer la peinture blanche par du granit. Il aborda les soutènements et les renforcements des murs porteurs. Il demanda à Bracamonte de détecter des fuites au niveau des toitures, puis fit forcer par deux ouvriers le portail d'entrée.

Sous la fragile voûte de la nef, tout était retourné. Les bancs de prière s'entassaient en une grande montagne, et l'air avait une odeur de regrets. Depuis les vitraux cassés, une lumière ridée tombait sur le crépi du plâtre. Le plafond s'effondrait et les combles à pignons servaient de nid à des rapaces.

Temistocles leva son petit carnet. *Lambris : trop inflammable... remplacer par de l'aluminium gauchi.* À ses côtés, la niche d'une vierge lui donna l'idée d'y installer la billetterie. Avec les doigts, il détacha une écaille de peinture qui pendait à droite du portail. Il reprit son carnet et ratura ce qu'il avait écrit. *Avant l'aluminium*, nota-t-il, *éliminer la peinture de plomb.*

Derrière l'autel, il remarqua une petite porte condamnée, presque souterraine. Il poussa légèrement du pied la serrure, imaginant la gâche fragile, mais la porte résista. Il poussa plus fort encore, en s'appuyant d'une main à la table de l'autel : le pêne était bien enfoncé et la porte ne céda pas. Il ficha un pied-de-biche entre le mur et la serrure, mais, alors qu'il s'apprêtait à forcer le levier, Bracamonte l'appela depuis le parvis.

La partie haute de la grue de démolition, trop large pour l'étroitesse des ruelles, ne parvenait pas à se glisser entre les maisons serrées. Temistocles sentit un vertige à l'idée de tous les imprévus à venir. Il demanda à Bracamonte de renvoyer la grue, ordonna aux ouvriers de décharger les instruments de démolition et, une fois seul, assis sur un des bancs de prière, nota avec inspiration sur son carnet : *Ad augusta per angusta.*

À partir de ce jour, on évita les lourds engins de construction et on utilisa des outils facilement transportables qu'on arma sur place. Les travaux commencèrent en début de semaine. Un camion s'arrêta en contrebas et les manœuvres déchargèrent les tuiles, les madriers, les briques, les laines de verre. Ils profitèrent du jardin planté de grenadiers pour faire des assemblages. Tandis que les maçons dressaient les échafaudages, les menuisiers, coude à coude, rognaient les ais, enfonçaient les coins, rabotaient sur les établis. Les charpentiers mettaient le pied à l'échelle pour boucher les fuites en clouant des lattes entre les tuiles.

Devant l'église effondrée, quelques curieux s'arrêtaient au bord du chemin, certains donnaient un avis, d'autres s'éloignaient en protestant. Parmi eux, Don Octavio ne sentit rien qui ressemblât, même de loin, à de la nostalgie. Il parut au contraire fasciné par cette alchimie humaine et admira la pudique fierté avec laquelle ces hommes avaient remplacé les cambrioleurs. Il tenta sa chance.

On lui proposa d'être payé comme ouvrier aux pièces. Sa tâche consistait à apporter les matériaux à pied d'œuvre, déblayer les déchets, vider les bennes, déplacer les planches. On lui céda une hachette avec laquelle il coupait les vieux plâtres et équarrissait les moellons.

Son activité était simple mais, à le voir à l'ouvrage, les autres ouvriers s'émerveillaient. Il possédait une résistance et une vigueur qui abattaient le travail de plusieurs machines. Il savait équilibrer les charges pour ne pas vaciller, tantôt manier habilement la truelle, tantôt démolir à la masse. Il malaxait autant qu'une bétonnière. Le cou et les bras en sueur, il représentait cette force animale qui avance sans penser, aveugle, au souffle régulier, récupérant plus vite que les autres des fatigues de la besogne. Temistocles Jerez lui-même faillit s'étrangler le jour où, sur le balcon de bois, il vit le dos d'Octavio soulever sans peine une dizaine de sacs à chaux que trois hommes n'auraient pu lever, tout ruisselant dans la lumière des phares, comme s'il s'agissait d'une gerbe de paille.

À midi, les ouvriers retiraient leurs casques et mangeaient sur place, assis sur des tas de planches, parmi les scies et les varlopes. Ils ne discutaient pas. La tête vidée par le travail, ils se passaient en silence une bouteille d'eau-de-vie à base de grains. Après une courte sieste, le charpentier se levait, le menuisier reprenait sa brouette, les maçons réveillaient les manœuvres endormis, et tout ce peuple muet se remettait à cingler comme une enclume sous le marteau du labeur. Octavio éprouvait un profond saisissement devant ce spectacle. Chacun y était aussi autonome et aussi nécessaire qu'un mot dans la musique d'une phrase.

Ceux qui étaient payés en extras pour faire des tours de garde dormaient sur le chantier. Ils alignaient des matelas de mousse à même le sol et installaient une petite télévision qui ne captait qu'une seule chaîne. La nuit, Octavio faisait le tour de l'église, seul. Il veillait comme il avait veillé autrefois, pendant trente ans de servitude, pour protéger un autre trésor.

Un soir, alors qu'il inspectait l'intérieur de l'édifice, il remarqua derrière l'autel une porte condamnée, presque souterraine, dont la serrure paraissait avoir été forcée. Il la fit céder et la porte ouvrit sur un réduit sans autre jour qu'une fenêtre aménagée au niveau du sol.

Des sculptures en grand nombre avaient été cachées. Il s'avança et découvrit des vases couverts de porphyre, des moines en plâtre, des sarbacanes en or. Derrière un monticule de chaises en érable se trouvait un piano marqueté de thuya d'Algérie sur lequel dormaient une paire de candélabres et des cafetières en argent. Un hamac de Veracruz suspendu aux poutres masquait le fond. Il put y distinguer une commode recouverte de coquilles d'œufs en bois laqué noir, deux consoles à fond de glace et un jeu d'herminettes en pierre bleue. Le trésor de Guerra n'avait pas été touché.

Il poussa les chaises, dégagea d'un tour de bras le hamac, et au fond, dissimulée sous un drap blanc, il vit la statue du Nazaréen de Saint-Paul brillant comme jamais encore dans la lumière mauve. Elle semblait encore entourée du parfum des processions. Son épaule droite couverte d'une mante soutenait la Croix, lourde et noire, en bois de noyer. Des orchidées séchées pendaient de sa chasuble et des épines en forme de tiare faisaient comme un printemps sur sa tête. Le profil était voûté, porté en avant, charpenté pour les siècles, dominant le réduit.

Octavio voulut s'approcher. Il s'appuya sur le repli du hamac. La pénombre se fit épaisse. La main tendue, le pied pris dans le tissu, il était à deux centimètres, à trois peut-être, quand la poutre qui soutenait le hamac s'ouvrit comme un fruit, et toute la structure de l'édifice s'écroula.

L'effondrement réveilla en sursaut les ouvriers. Il fallut plusieurs hommes pour dégager la porte que la poutre éventrée avait bloquée. Ils déblayèrent l'espace en gestes alarmés, jusqu'à trouver, sous un amas de briques et de gravats, le corps d'Octavio dont le bras était coincé sous les décombres. Bien que le réduit fût étroit, les ouvriers firent une chaîne. Le tas diminua. Et lorsqu'il sentit une fente entre les pierres, Octavio retira son bras comme un chien blessé. Il le cacha aussitôt sous sa veste, sans prendre le temps de l'examiner, et s'enfuit de l'église.

XVII

La découverte du réduit permit de dresser le premier inventaire des accessoires de scène. Tout ce que l'effondrement avait épargné fut conservé dans les registres du nouveau théâtre, inscrit au patrimoine national, et mis à disposition des scénographes. Cependant, les ouvrages récupérés étaient en mauvais état : les statues tombaient en poussière, les tableaux de leur cadre, les meubles des piètements. On fit appel à des spécialistes restaurateurs qui arrivèrent au bidonville par la grande route. Ces messieurs exigeaient des produits étrangers, maniaient les acides sans précaution, négligeaient les méthodes. Ils repartaient de l'église quelques heures plus tard, abjurant leur métier.

C'est au milieu de ces va-et-vient qu'Octavio réapparut, le bras bandé jusqu'au coude. Le chantier s'était ressenti de son absence. Comme il n'était plus en mesure de travailler dehors, il fut affecté à l'entretien de l'intérieur. Après avoir évacué les débris, jeté les pierres dans les bennes, rempli des sacs de gravats, il se chargea de nettoyer chaque pièce cataloguée.

La poussière et l'humidité avaient maté la brillance de la vaisselle. Au poids, il reconnut l'étain. À l'odeur, l'argent. Il racla l'ocre du bâtiment, le mélangea avec de la lessive et de l'huile pour en faire une pâte à polir. Il passait à l'éther les taches légères et au talc chauffé les salissures profondes. Les antiquaires avaient laissé de l'essence de térébenthine, de la résine de pin et du blanc d'Espagne entassés dans un coin. Pour la première fois de sa vie, Octavio pouvait lire les étiquettes.

Quelqu'un lui conseilla de faire disparaître les cercles de verre avec une noisette de beurre, un autre de frotter les tableaux avec des rondelles d'oignon. Bracamonte affirma qu'un mélange de chaux à peine éteinte et de sérum de sang de bœuf suffirait pour le bois du châtaignier. Aussitôt, Octavio fit des assemblages. S'il manquait de soufre, il patinait les ciselures avec de l'antimoine. S'il manquait d'os de seiche, il polissait les reliefs à la ponce.

Voyant les résultats, Temistocles Jerez voulut l'encourager. Il lui désigna au fond du réduit des meubles anciens à l'abandon. Les vers avaient rongé les pieds et la traverse du bas. Octavio refit sur l'établi les pièces à l'identique, les remplaça et les mastiqua. Avec deux verres de potassium par litre d'eau, il appliquait sur le meuble couché une mousse grisâtre dont il aspergeait ensuite les cristaux avec un arrosoir à pomme fine. Pour sécher, il saupoudrait des sels d'oseille qui donnaient au chêne un beau reflet doré. Les tissus étaient souvent frangés, si bien qu'il était parfois difficile de couper les irrégularités. Il utilisait une lame de rasoir qu'il faisait courir délicatement et rabattait le bord avec une colle.

Fascinés, les ouvriers observaient les phénomènes de l'électricité statique lorsque Octavio frottait l'ambre avec un chiffon de laine. Ils découvraient comment, après avoir badigeonné les morceaux de potasse, la soudure se faisait d'elle-même. On complimentait Octavio, on lui prodiguait des louanges qui le faisaient rougir. Il refusait qu'on lui prêtât quelque lien avec la science. Il se remettait à la tâche sans avoir dit un mot, faisant briller les cuivres, patinant l'ivoire, redorant les serrures. Tandis qu'il habillait la matière, il avait le silence pour tout vêtement.

Temistocles Jerez se rendait souvent au réduit. Il frappait et ouvrait sans bruit. Au fond, Octavio apparaissait dans une lumière de demi-jour. Il avait l'air de dévotion d'un saint de vitrail. Il portait un grand tablier avec une poche par-devant d'où dépassaient un ciseau à bois, une scie à placage, une règle et des brosses en chiendent. Il déjeunait en solitaire, travaillait toute la nuit. Le corps voûté par l'humilité de sa condition, il jouissait de la grandeur de son devoir. À le voir, Temistocles croyait comprendre le mystère de servitude où ce géant puisait sa force.

– Comment va ton bras ? demandait-il.

Octavio tenait son bras dans un mouchoir noué en turban. Il ne parlait que pour répondre.

– Comme un chêne.

Et il se remettait à l'ouvrage.

Vers le mois de novembre, on le requit de rajeunir la statue du Nazaréen de Saint-Paul dont la vétusté, plus que la catastrophe, avait fait une épave. Les vrillettes avaient attaqué le bois et mangé les reliefs. Son visage présentait des brûlures de cierge, des traces de mastic, des coulures. L'effondrement avait arraché un bras qui gisait près de la fenêtre.

Octavio injecta d'abord de l'insecticide au cœur de la statue. Il dilua ensuite la pâte à bois avec de l'acétone jusqu'à obtenir un miel fluide et procéda aux retouches en soignant les fendillements. Faute d'or, il fit un mélange de céruse, de plâtre et de cendre. Il répara les cloches avec un fer à repasser et un papier de soie. Des journées entières, il fit chauffer du sable pour remplacer les craquelures. Il usa de la gomme-laque pour les perces de la loupe et recolla les morceaux manquants selon le veinage. Il effaçait les taches d'encre avec l'acide muriatique des ménagères. Pour le sang, il appliquait du thiosulfate de soude. Il raccordait les teintes avec de la gouache, puis lustrait à la cire vierge. Enfin, il ne dora la couronne d'épines que d'une moitié car, s'agissant d'un accessoire de théâtre, elle était conçue pour n'être regardée que du côté public.

Vinrent les mois de pluie. Le vent frais de décembre se transforma en de grosses gouttes, créant des marais et des ruisseaux de poubelle. De longues averses lavaient le ciel. Parfois, le soleil réapparaissait, et la chaleur étouffante desséchait à toute allure le reste d'humidité sur les planches.

Malgré le mauvais temps, Temistocles Jerez venait surveiller l'avancée des travaux en compagnie d'un représentant de l'*Alcaldia* ou d'un délégué de commune. Un jour, il apparut aux côtés d'un homme au torse droit, coiffé d'un panama, une veste en lin blanc. Ses airs de touriste n'enlevaient rien à ceux d'homme du monde.

Sans faire le tour de l'église, ils se dirigèrent aussitôt vers le réduit. Octavio travaillait, le visage enfoui dans la pénombre. On n'était pas plus embarrassé par sa présence que par celle d'un tableau. La pluie, dehors, battait son plein. Devant l'homme, Temistocles excusa sa mémoire :

– Monsieur… ?

– Monsieur Paz, répondit l'homme.

Il racla sa gorge et s'adressa à Octavio.

– Monsieur Paz détient tous les papiers en règle pour récupérer la statue du Nazaréen. Elle lui aurait été volée dans son appartement par les anciens cambrioleurs de l'église.

– De vrais sauvages, souligna l'homme.

À l'écoute de cette voix, Octavio se retourna. Sous le chapeau de paille, il distingua un homme de taille moyenne, le visage rond, fort rouge de teint, caché derrière des lunettes noires, dont la tenue lui sembla familière. L'homme posa ses yeux sur Octavio : Guerra ne sourcilla pas.

Sous le déguisement, Guerra avait pris l'identité d'un ébéniste résidant en Indonésie. Il se disait un amateur d'art vénézuélien que les troubles politiques du pays avaient obligé à s'exiler vers un marché plus stable. Il collectionnait des vierges en ivoire, des christs ensanglantés, des paradis en bois doré, mais avait cependant un faible pour les statues de procession.

Octavio ne dit rien. Guerra tendit sa main à l'architecte d'une façon très professionnelle pour conclure l'entretien, et Temistocles éprouva à son égard une soudaine amitié.

– Je suis étonné que vous veniez de si loin pour une simple statue de bois, Monsieur Paz. Vous m'avez dit de Jakarta ?

– J'y fais des affaires, répondit-il avec naturel. Voyez-vous, j'ai la faiblesse de tenir à cette statue. Elle me rappelle que nous, les Vénézuéliens, où que nous soyons, sommes toujours des enfants du mythe.

– Du mythe ?

Le réduit était minuscule, les bouches se touchaient presque. Guerra expliqua, en pointant les dégâts de l'accident :

– Du mythe, parfaitement. Chaque peuple a sa plaie fondatrice : la nôtre est dans l'effondrement de notre histoire. Nous avons dû nous tourner vers le mythe pour la reconstruire. C'est d'ailleurs plus ou moins la même chose qui est arrivée aux Grecs.

– Je suis architecte, reprit Temistocles heureux de cet échange. Je n'entends pas grand-chose aux pyramides.

Guerra sourit et voulut sortir. Mais l'architecte, pris de rhétorique, s'engagea dans des réflexions sur l'Antiquité. Décidé au débat, il s'éleva à des considérations sur la formation des pierres et l'âge probable de la civilisation.

– Vous êtes architecte, dit Guerra en tranchant. Vous le savez bien : notre peuple n'a pas érigé de pyramides. Nos rois n'ont pas créé des États. Nos princes n'ont pas construit de murailles. Le Venezuela n'a été historiquement qu'un pays de passage pour les empires. Un pays du « por ahora ». Les édifices coloniaux, les palais de gouvernance, les académies militaires, rien ne porte d'avenir, de mémoire. Tout cela a été construit « por ahora »... « por ahora » avant de descendre à Potosí où se trouvaient les mines les plus riches... « por ahora » avant de fonder les grandes vice-royautés de Colombie... « por ahora » avant d'ouvrir le paysage des transnationales.

Temistocles Jerez acquiesçait avec des « tout à fait » et des « bien entendu », séduit par la tournure politique que prenait la discussion.

– Rien n'a été véritablement achevé, continua Guerra. Ce pays est un pays de bivouacs. Je ne vous apprends rien. N'avez-vous pas détruit une église dernièrement ? Alors, il a bien fallu se tourner vers le mythe. Inventer une autre histoire. Et qu'en a-t-on fait ?

– Du théâtre ! cria Temistocles.

Et il suivit sa remarque d'un gros rire qui résonna sous la voûte. Guerra se contenta de sourire, sans excès.

– Non, Monsieur Jerez. On y a fait ça.

Et il pointa la statue.

– Voilà notre pyramide. Voilà nos Grecs. Aucun régime, aucune occupation, aucune richesse ne peut nous l'arracher. C'est la terre qu'on porte.

Selon les ordres de l'architecte, Octavio déplaça le Nazaréen jusqu'à la benne d'un pick-up que Guerra avait stationné devant l'église. Sa tête dépassait de la cabine. Il lui attacha les bras, cala le socle et, comme la construction soulevait la poussière, enroula la mante mauve. La voiture partit. Pour la dernière fois, Octavio aperçut derrière la fumée le profil du saint. Grand et fort, le dos solide, les mains épaisses, il quittait le théâtre garrotté et bâillonné, comme un porc sur une charrette, les pieds râpant les roues, traîné au milieu d'un siècle sans croyance.

XVIII

Au début du mois d'août, lorsqu'on enleva les premiers étais et les échafaudages, le théâtre apparut aux yeux de tous, pour la première fois, sous sa forme secrète et éclatante. Certains peut-être en comprirent l'importance historique. Une délégation du gouvernement vint constater l'avancement des travaux. Temistocles Jerez montra avec orgueil la réfection de la toiture et le revêtement des passages.

La scène était équipée d'une machinerie dont les mécanismes, imités du cabestan des navires, permettaient de retirer des ailes latérales pour en faire apparaître d'autres. Au fond, un écran blanc amovible devait servir aux projections de cinéma. Le pavement de l'entrée avait été remplacé par un sol de marbre qui menait à un escalier de trois marches. Le transept en forme de croix était devenu un auditorium en fer à cheval où de petits ornements en stuc, or et rouge, décoraient les colonnes. Toutes les portes se fermaient d'elles-mêmes. Le plafond était revêtu en teck séché et la cage acoustique, discrète et respectueuse, ne fléchissait la voix que pour mieux l'étirer. Temistocles expliquait avec une fausse modestie qu'il avait donné à l'ensemble un air de « théâtre intime » où scène et salle s'entremêlaient avec une sobriété franciscaine.

– Cela naturellement, avait-il conclu, relève plus de l'art que de l'architecture.

La délégation inspecta chaque détail. Le responsable complimenta Temistocles et, au souvenir des cambrioleurs, émit quelques réflexions sur le vandalisme. Il assura être lui-même un passionné de bâtiment, admirateur du progrès, porté vers l'idéal, et dit qu'il se fût abandonné sans crainte à l'étude de cet art si, hélas, la politique, le devoir, les affaires d'État, enfin toute cette autre architecture, ne l'en avaient détourné. Ils abordèrent avec diplomatie le jour de l'inauguration et, lâchant la date, Temistocles assura que les travaux seraient achevés dans les temps.

Seul Don Octavio ne put célébrer cette nouvelle page nationale. Enfoncé dans la solitude, dans une retraite sourde et dévouée, il chevillait les chaises en érable retournées devant lui. Comme un ermite dans sa cabane, la barbe longue, les cheveux touchant les épaules, assis en tailleur, il rédigeait l'histoire à sa façon. Son corps était recouvert de marques, composées une à une, comme les lettres d'un même récit. L'écriture se manifestait à son cœur par le vernis et l'acide, la peinture et le bois, l'or et le plomb. Il décapait, raclait, façonnait l'espace, constituait une grammaire. Un arrosoir lui faisait les fleuves, un cadre doré les montagnes. Avec une lunette et une loupe, il écrivait la lumière.

Cependant, son bras devint rigide. En l'étirant, il ne se dépliait plus entièrement. Les ligatures se desserraient dans le mouchoir noué en turban. Il les relâcha doucement.

Des rubans de charpie tombèrent un à un sur le sol, parmi les copeaux et la paille des fauteuils. Pas de sang, pas de marques, pas de croûte. Le tissu était propre, le bras n'avait aucune blessure. Mais quand il le leva vers la lumière, Octavio découvrit une écorce grise qui liait et déliait sa peau à la sienne.

Le bois ressemblait à l'aulne, très sec, non résineux. Un houppier dense, tournant vers le brun, formé de plaques épaisses, s'entaillait de sillons minuscules. Au niveau du coude, il se faisait plus souple pour s'adapter à la flexion. Quelques nœuds tatouaient son poignet. Le bras résonnait quand Octavio le frappait, si bien qu'il crut qu'il était creux. Sur la table, il empoigna une égoïne et se scia la paume. Au cœur de lui-même, le bois était plein. Plus d'os, plus de muscles, plus de veines : un automne à l'intérieur de lui.

Afin de ne croiser personne, il ne quitta plus le réduit. Il vécut la nuit, jeûnant la journée, puis se promenait le soir, dans le théâtre désert, en rongeant une croûte de pain. Dehors, les journées étaient légères. On buvait de la bière, on jouait un cent de dominos, l'oisiveté régnait. Rapidement, les ouvriers furent remplacés par des techniciens. On ne vit plus d'hommes en bleu de travail. Dans l'ombre, Octavio entendait les discussions des metteurs en scène dans les bureaux, le froufrou des actrices, les rondes des gardes. Autour de lui, la matière du bâtiment changeait, elle aussi.

En deux jours, le bois dépassa le coude et atteignit l'épaule. La surface était si lisse qu'il utilisait une peau de chamois trempée dans de l'huile de lin pour se patiner. Il dépoussiérait ses quatre doigts avec un pinceau et faisait sa toilette au vinaigre blanc. La cire de bougie lui sembla trop sableuse : il utilisa de l'eau savonneuse. À défaut de poncer, il se lustrait avec une brosse à dents. Il était là, penché sur lui-même, rendu à une hygiène d'antiquaire, comme s'il nettoyait un vestige. Au bout d'une semaine, du lierre grimpa du pied jusqu'à ses genoux. Il comprit qu'il grandissait comme un arbre, au hasard sur une colline, au fond d'un chantier, disparaissant là où il s'était attaché.

Temistocles Jerez avait accepté qu'il demeurât dans le théâtre jusqu'au lendemain de l'inauguration.

– Après, il faudra que tu trouves un autre endroit, lui avait-il dit amicalement. Tu ne peux plus dormir ici.

Et Octavio s'était dissimulé dans la pénombre, immobile. Il avait perçu l'odeur granuleuse qu'il dégageait. Sa sueur, son haleine, tout avait pris de la poussière. Comme l'effigie d'un monde oublié, il ne restait de lui qu'un parfum de plâtre et de lumière.

Le jour de l'inauguration, le ciel se dégagea dans la matinée, mais l'après-midi, se couvrit de nuages.

Par la petite fenêtre du réduit, à hauteur du sol, Octavio suivit le cortège sur le parvis. En tête marchaient des ministres, des présidents d'institution, la presse officielle. Suivaient, par rang de pouvoir, des secrétaires généraux, quelques figures publiques et, au milieu de cette phalange, le maire de la commune vêtu de rouge, une casquette militaire sur la tête. Enfin, fermant la marche, la lourde piétaille des habitants de Saint-Paul-du-Limon.

Une fois installé au premier balcon, le ministre prodigua des compliments à l'architecte. Il voulut connaître l'argument de la pièce, on lui conta le sujet. Quelqu'un parla de boulevard, il y eut des rires.

On évoqua l'époque du brigadier don Manuel González Torres de Navarro où, dans les premiers théâtres de la ville, on représentait Caracas un livre à la main et un lion à ses pieds. Le maire raconta que lors d'un voyage du baron de Humboldt, qui venait étudier les satellites, il avait découvert dans les mélodrames vénézuéliens les astres qu'il n'avait pu observer dans le ciel. Quelqu'un rappela le tremblement de terre de 1812. On admit qu'il n'y avait que le théâtre pour survivre, tantôt à la nature, tantôt à la colonie.

Au lever du rideau, on fit silence.

La pièce commençait dans le port de La Guaira, le 20 août 1908, lorsqu'un navire en provenance de La Trinidad jeta l'ancre sur les côtes vénézuéliennes sans soupçonner qu'il y jetait aussi une peste qui devait mettre un demi-siècle à quitter le pays.

Sous le chapiteau du nouveau théâtre, on mima une épidémie féroce. Dans un brouhaha, des marins apparurent, des machineries avancèrent des colonnes torses et des panneaux latéraux. Des femmes en crinoline entourèrent des hommes en costume. Toute la salle sentait l'orchidée. Sous les banderoles accrochées aux balcons, quatre musiciens jouèrent un *joropo* tragique. À l'arrivée du citronnier en carton, on applaudit.

Temistocles s'en alla chercher Octavio dans le réduit. Comme il était vide, il fit le tour du théâtre, prit les couloirs, inspecta les coulisses. La costumière lui dit qu'il était près de la billetterie. À la billetterie, on l'avait vu dans les glissières. Mais alors qu'il passait derrière la scène, Temistocles aperçut la statue du Nazaréen de Saint-Paul apparaître sous les feux de la rampe, soutenue par quatre hommes, étincelante de légende.

On porta la statue en grande procession, de part en part de la scène, jusqu'au bord de la fosse. Les orchidées, les chansons, le citronnier, tout ce qu'un siècle laborieux y avait mis d'oubli semblaient s'animer alors. On ne fêtait pas une victoire, on ne consacrait pas un roi. On célébrait aujourd'hui la naissance d'une ville, une histoire qui ne figure pas dans les livres, qui se dresse sur la tradition, et dont les invisibles interprètes méritent d'être honorés.

Temistocles Jerez ne chercha plus. Il fut peut-être le seul à comprendre que, sous le bois de la statue, le cœur d'Octavio battait encore.

Mise en pages PCA
44400 Rezé